百濟

동아시아 대왕 근초고

윤영웅

East Asian Great King

Geunchogo

동아시아 대왕 근초고 9

발 행 | 2024년 4월 22일

저 자 | 윤영용

펴낸이 | 한건희

펴낸곳 | 주식회사 부크크

출판사등록 | 2014.07.15.(제2014-16호)

주 소 | 서울특별시 금천구 가산디지털1로 119 SK트윈타워 A동 305호

전 화 | 1670-8316

이메일 | info@bookk.co.kr

ISBN | 979-11-410-8210-9

www.bookk.co.kr

동
아
시
아
대
왕

근초고

윤영용 지음

本 그 근본

승리였다. 백제를 위해서도 대해부가를 위해서도 필요한 승리였다. 나주벌에 금성, 무곡성, 자미성을 세운 백제는 이제 반도 서쪽을 거의 평정하게 되었다. 비류왕의 태평성대(太平聖代)가 이어졌다. 철제 명도전은 모용씨족의 북부대륙과 반도, 열도에 이르기까지 통용되는 화폐로 자리잡았다. 대륙백제와 한성백제는 화폐제조창이자 교역의 중심지로써 그 혜택을 톡톡히 보게 되었다. 내신좌평이 된 우복의 세력이 점차 확대되어 가고 있었다. 흑우가 상단과 흑천, 그리고 대해부가 상단까지 우복의 부(富)는 백제의 설대 권력이 되어가고 있었다.

시작은 같았다. 무예대전을 통해 세상을 얻으려 했다. 그리고 각자의 길을 걸어왔다. 그 두 사람. 흑천주 우복과 비류왕 여호기 앞에 여구가 섰다. 여구는 비류왕 여호기가 아직 죽지 않았다는 것을 알 수 있었다. 흑천주 우복은 여구를 기다렸다. 여호기에게 무엇인가를 보여주려고 한다. 더욱 비극적인 결말을 만들고 싶어서였을 것이다. 여구는 그것이 그나마 다행이라고 여겼다. 빨리 오길 잘했다.

조금만 버티시면 제가 살리겠습니다―

비류왕 여호기에게 힘을 내라는 간절한 눈빛을 보낸다. 아버지를 구하겠습니다. 사지(死地)에 들어와 여구는 흑천의 무사들을 상대했다. 흑천주 우복과 비류왕 여호기 주변에 있던 무사들은 이제까지 상대했던 흑천의 무사들과는 달랐다. 고수들이었다. 여구는 용천혈이 있는 발바닥부터 머리끝의 백회혈까지 다 열었다. 하늘과 땅, 그 전신의 원기를 다 사용했다.

시간이 없다―

흑천의 무사들이 점점 지쳐가기 시작했다. 다 끝나가고 있었다. 뒤에서 여구가 데리고 온 군사들이 조금씩 길을 내며 가까워지고 있었다. 하나, 둘 여구가 있는 곳을 향해 오기 시작했다. 그러자 흑천의 일급 무사들이 틈을 보였다. 그런 틈을 여구가 놓치지 않았다. 하나, 둘, 셋, 넷… 그렇게 흑천의 일급 무사들이 여구의 칼춤에 튕겨져나가고 있었다. 마침내 신들린 칼춤이 멈췄다. 온몸의 원기(元氣)를 다 소모한 그 시간에 흑천주 우복하나만 남아 있었다.

백제 제일의 고수—

고수는 고수를 알아본다. 여구는 흑천주 우복을 보고 긴장했다. 우복은 바로 옆에 쓰러져 있는 비류왕 여호기의 처참한 모습을 내려보면서 냉소를 보였다. 그 미소가 의미심장했다. 비류왕은 여구를 보고 염려하고 있었다.

"여구야…"
"아버지—"
"조심하거라…"
"반드시 구하겠습니다. 조금만… 조금만… 기다리십시오."

그래 기다리마. 비류왕은 그렇게 자신을 구하기 위해 목숨을

거는 여구를 보고 있었다. 흑천주 우복의 무예는 전혀 본적도 들은 적도 없는 강한 무예였다. 백제의 그 어느 검법보다 강했다. 우복의 칼이 자신의 몸에 닿을 때마다 냉기(冷氣)가 엄습했었다. 마치 독(毒)이 스미듯 몸의 기운(氣運)을 빼고 있었다. 사지(四肢)를 다 노린 칼끝은 무서웠다. 그런 흑천주 우복을 상대하기에 여구는 너무 많은 기를 쇠진한 것 같았다. 그렇게 비류왕 여호기는 걱정이 앞섰다.

하늘이 푸르다-

이상한 일이었다. 우복이 시간을 끌고 있었다. 우복은 무엇인가 잠시 생각하는 것 같았다. 하늘을 보고 또 보고 있었다. 지친 것은 여구인데 그가 시간을 잡아둔다.

시간을 끈다는 것은-

지원군, 즉 계왕의 군대를 기다리고 있었다. 우복은 망자의 섬 입구 쪽을 잠시 보고 있었다. 그렇게 짧은 시간이 갔다. 흑천주 우복이 시간을 끄는 사이, 여구는 잠시 심법(心法)을 운용할 수 있었다. 조금 가쁜 숨을 달랬다. 그 차이는 실로 컸다. 여구는 흑천주 우복이 만들어주는 짧은 시간을 잘 활용하고 있었다. 아, 그거다! 비류왕은 그제야 생각이 났다.

"설거의 군사들이 곧 올 것이다. 어서, 그들이 오기 전에… 어서…"

비류왕 여호기가 계왕의 군대가 오리라고 일깨워주었다. 여구도 알고 있었다. 함정이라는 것을. 여구 자신을 잡기 위해 아비를 저리 만들어 놓고… 여구를 흥분시키고 있었다. 여구는 그 상황을 미리 짐작하고서도 망자의 섬으로 왔다. 빨리… 어쨌든 이 상황에서 승부를 보고 도망칠 방법을 찾아야 했다. 천천히 칼을 들었다. 겨눈다. 칼끝이 흑천주 우복을 향해 있었다.

그런가ㅡ

흑천주 우복이 하늘을 보았다. 거기 있었다. 정 중앙에 눈이 부신 하늘이 있었다. 그렇구나. 시간이 지나고 있었다. 그러나 아직 계왕 설거의 군대는 망자의 섬으로 들어오지 않는다. 분명히 약속한 그 시각이 지나고 있었다. 여구의 부대가 오면 바로 즉시 계왕 설거의 군대가 따라왔어야 했다. 그리하기로 했다. 자신이 비류왕 여호기 일행을 상대하는 도중에, 여구가 망자의 섬으로 들어오면… 여구를 잡기 위해 계왕 설거의 군대가 물밀

듯 밀려왔어야 했다. 한 시진이면 올 수 있는 섬의 뒤편 너머에서 계왕 설거의 수군이 매복하고 있었다. 여구가 섬으로 들어온지 이미 한 시진이 훨씬 더 지났다. 그런데도 안 오고 있었다. 그 이유가 무얼까. 계왕은 지금 무슨 생각인가. 그런 생각을 우복이 하고 있었다. 수군 사령선에 계왕 설거가 직접 와서 지휘하고 있을 텐데… 이 망자의 섬을 정리하고 나면 바로 열도 야마다로 같이 쳐들어갈 계획이었다.

이는 설거의 계획-

흑천의 무사들이 길을 다 열어 놓았다. 여구의 배가 망자의 섬에 닿으면 바로 뒤따라 들어오면 되었다. 망자의 섬 입구의 경계는 흑천 무사들이 다 풀어놓아 여구도 계왕 설거의 군대도 들어오기 쉽게 만들었다. 그런데 아직 오지 않고 있었다.

그랬구나-

그리 생각한 것이다. 계왕의 뜻을 알아챘다. 우복은 씁쓸히 미소를 지으며 서서히 칼을 들었다. 흑천 신공을 끌어올렸다. 자신의 전력을 다해야 했다. 여구는 단숨에 상대할 자가 아니었다. 흑천 무사를 상대하는 여구를 보았다. 고수 십여 명이 한

시진도 안 되어서 당했다. 우복은 보았다. 유연한 힘이 있었다. 자신의 힘만이 아니라 상대방의 힘도 이용했다. 자연 그대로 운영되는 힘으로 상대를 제압했다. 흑천 무사들의 강한 힘들을 부드러움으로 중간자 역할을 하면서 서로 충돌하게 했다. 흑천 무사들의 칼이 서로를 노리는 경우가 많았다. 우복은 흑천 신공을 극성으로 끌어올리면서 단 일합으로 겨누려 했다. 이미 여구 무사들이 오고 있다. 흑천주 우복은 극강의 힘을 일으키고 있었다. 모든 것을 걸었다.

충돌이다-

여구는 지쳤다. 많은 원기(元氣)를 소모했다. 호흡을 달리했다. 더 깊게… 그리고 몸을 천천히 풀었다. 온몸의 기를 풀었다. 내보냈다. 기(氣)가 도는 원리(原理). 천천히 풀어 내보내야 들어온다. 우주의 모습 그대로 흐르는 기운(氣運)대로 움직인다. 온몸 밖으로 기(氣)를 돌렸다. 자연이 되어 가고 있었다. 거기서 힘을 모았다. 그 힘이 나선형으로 옮겨진다. 깊어진다. 큰 원에서 작은 원으로 그리고 한 개의 점으로 칼이 마치 빛이 된 것처럼 쏘아졌다. 충돌했다.

벴다-

흑천주 우복은 느꼈다. 흑천주 우복은 베었다. 분명히 더 빠르게 벴다. 그리고 또 무언가 자신을 관통했다고도 느꼈다. 더 빠르게 베고, 피한다고 피했는데… 뭔가 허전해졌다.

뜨겁다—

자신의 단전(丹田)을 천천히 내려다본 우복은 보았다. 칼이다. 칼이 박혀 있었다. 이상하다. 분명히 자신이 먼저… 여구의 몸을 베었는데 어찌 이럴 수가 있는가 하고 생각했다.

그때 보았다. 우복의 칼을 맞은 여호기. 여구 앞에 있었다. 자신의 옆에 있던 비류왕 여호기. 흑천주 우복의 칼이 나가려는 순간, 여호기가 몸을 던져 칼을 막았다. 그 찰나의 순간에 비류왕 여호기는 온몸의 원기(元氣)를 다 모아서 자신의 몸을 던졌다.

그렇구나—

아들을 위해 그렇게 했구나. 그 틈에 여구는 흑천주 우복을 벨 수 있었다. 흑천주 우복이 서서히 무너졌다. 그의 눈은 비류왕을 보고 있었다. 눈빛이 공허했다. 공허한 그 눈빛에 비류왕 여호기의 마지막이 보였다.

힘이 다르다—

비류왕 여호기는 여구가 흑천의 일급 무사들을 상대할 때, 흑천주 우복과 함께 보고 있었다. 부족하진 않다. 그러나 비류왕 여호기는 알았다. 흑천주 우복을 상대해보았기에 여구가 흑천주 우복을 상대하기가 쉽지 않을 것을 느끼고 있었다. 문제는 저 일급 무사들을 이기고 난 뒤, 지친 몸이었다. 원기(元氣)를 소모한 여구. 우복은 최강이다. 그래서 여구에게 서두르라 했다. 자신이 조금이라도 원기(元氣)가 남아 있어야 했기 때문에 더 서두르라고 했다. 다 버리기로 했다.

아비의 마음—

그것을 흑천주 우복은 벤 것이다. 아비가 막았다. 아들을 살리기 위해 몸으로 막은 것이다. 여구는 놀랐다. 비류왕이 마지막 온 힘을 다해 흑천주 우복의 칼을 대신 맞고 울컥 피를 토하고 있었다. 우복의 칼은 비류왕에 막혀서 여구를 베지 못했다. 여구는 안다. 아비가 자신을 살린 것이다. 울부짖으며 부둥

켜안았다. 그때 우복의 공허한 소리가 들렸다. 그도 피를 토하고 있었다.

"그래. 이런 거야… 언제나 부러웠습니다. 당신… 여호기가 부러웠습니다. 하늘은 언제나 당신 편인 것 같습니다. 당신은 행복한 사람입니다. 이는 다 하늘 탓입니다. 미안한 일도 있었습니다. 당신에게… 분서왕이 나를 탐해서… 시작되었습니다. 그렇게… 아니… 내가 탐냈습니다. 내가… 내 욕심이…"

회한(悔恨)이다. 절대 힘을 갖게 된 우복의 후회 가득한 삶이 덧없이 스쳐 지나갔다. 젊은 나날들. 비류왕 여호기가 부러웠다. 우복의 바로 앞에서 백제 제일자가 되었고 왕이 되었다. 그 세월, 우복은 이인자가 되었다. 부러움이 시기가 되었고 질투가 되어 우복을 더욱 슬프게 했다. 아무리 올라가도 자신의 앞에, 자신의 위에 여호기가 있었다. 왜 하늘은 자신과 여호기를 같은 시대에 내보냈을까? 싫었다.

그래서 힘들었다―

그렇게 말했다. 이렇게 허무하게 끝이 날 줄 알았더라면…

계왕은 안 왔다—

우복은 서서히 허무한 죽음을 맞이하고 있었다. 비류왕은 우복의 얘기도, 여구의 울부짖음도 듣는 것 같지 않았다. 이미 절명(絶命)해 있었다. 한 시대를 그렇게 풍미했다. 얻으면 잃고 또 그렇게 이름을 역사에 기록하며 살아왔다. 많은 역사 속 인물들이 그런 것처럼. 이룬 것도 못 이룬 것도 그렇게 흘러갔다. 비류왕 여호기와 흑천주 우복, 그 둘은 저승길에서도 동무가 되었다.

비류왕의 죽음으로—

여구가 슬픔에 젖어 있을 때, 일단의 군대가 망자의 섬으로 진군해왔다. 무려 삼천이 넘는 군사들이 몰려오고 있었다. 계왕 설거의 부대였다. 망자의 섬으로 들어오는 길에 있던 여구의 배들은 이미 계왕의 군대에 의해 불에 타서 다 파손되었다. 여구 일행은 당황했다. 우선 급하게 일부가 막으려 했지만 이미 싸울 수 없는 숫자요, 너무 지쳐 있었다. 군사들은 여구 일행을 공격하기 시작했다. 먼저 궁수 부대가 나섰다.

피하라—

여구와 그 일행은 삼백이 조금 안 남았다. 화살들이 하늘을 채웠다. 가득. 사상자들이 많았다. 산개(散開)해야 했다.

"흩어져라. 다들 산으로 피하라!"
"도망쳐라!"

그렇게 화살을 피해야 했다. 여구는 비류왕의 시신을 업고 달렸다. 달리고 또 달렸다. 계속 화살이 쏟아져 왔다. 여구 일행은 은퇴자의 산이 있던 오봉산 쪽으로 피했다.

"잡아라!"
"활을 쏴라!"

하늘이 어두워진 것 같다. 화살은 계속 여구 일행의 뒤에서 쏟아지고 있었다. 다행히 한 사람이 겨우 들어갈 만한 늑대의 길이 나왔다. 거기는 협곡이다. 늑대 재구가 아니었으면 찾을 수 없었던 길이 무려 열두 협곡을 이룬다. 늑대의 길을 지난다. 여구 일행 중 은자(隱者) 두 명이 길을 막았다. 여일, 여월이 좁은 길을 막았다. 여구를 살리기 위해 다른 이들이 목숨을 걸고 늑대의 길에서 막고 있었던 것이다.

여구는 무지곡 폭포에 이를 수 있었다. 일단의 희생 덕분에 비류왕 여호기를 업은 여구와 은자 십여 명이 폭포에 도달할 수 있었다. 폭포가 앞을 막았다. 그 순간, 폭포가 길을 막고 있는 것을 본 계왕 설거의 부하 목지간이 활을 쏘라 명했다. 부하들이 활을 당겼다. 쏴라!

화살들은―

여구 일행을 쓰러트렸다. 폭포 아래 물웅덩이로 여구 일행이 쓰러지는 순간 화살들이 쏟아졌다. 그렇게 여구도 은자들도 화살을 맞고 폭포물 속으로 쓰러졌다.

시체 여럿이 떠올랐다―

목지간(木芝刊)은 이제 끝났다고 생각했다. 임무를 완수했다. 계왕이 원하는 데로 그리할 수 있었다. 흑천주도 여구 일행도 모두 처리한 것 같았다. 계왕 설거의 명을 지킬 수 있었다. 목지간은 비류왕 여호기가 함께 있다는 소리는 듣지 못했다. 망자의 섬에 있는 은자들과 흑천주, 그리고 여구 일행이 목표였다.

다 죽인다―

이 계획. 계왕 설거는 그렇게 명했다. 무절의 군장. 계왕의 충실한 부하이자 토벌대 수군 책임자인 목지간에게 선봉을 맡기면서 그리 명령했다.

"여구가 들어가고 두 시진 후에야 들어가라. 반드시. 그래야 한다."

"그러면 너무 늦습니다. 더 일찍 들어가야 합니다."

"아니다. 그래야 확실하게 잡을 수 있다. 지쳐야 한다."

"흑천의 무사들도 위험해집니다."

"그게 무슨 상관이란 말이냐?"

"예?"

"쓸데없는 생각! 흑천이 백제 무사인가? 흑천주는 미끼다."

"미끼?"

"서로 크게 부딪칠 것이다. 그러면 둘 중 하나는 죽을 것이며 나머지 하나는 치명적인 상태가 될 것이다. 그 순간을 노려라."

"예, 알겠습니다."

"그때 활을 쏴라! 하늘을 화살로 덮어 그들을 다 죽여라! 망자의 섬에서 생명이 있는 모든 것을 다 죽여라!"

계왕 설거는 예상하고 있었다. 망자의 섬을 습격한 흑천주 우복 일행이 광명천 무사들과 서로 싸우다 지쳐 있을 때, 여구 일행이 도착하도록 시점을 정했다. 그리고 그 여구 일행과 흑천이 서로 죽도록 싸우게 해야 했다. 그러면 우복도, 여구도 치명적인 상태가 된다고 믿었다. 그 뒤에 계왕 설거의 군대가 도착해 활을 쏘면 된다. 계왕의 부하들은 그렇게 명을 받았다. 무절의 군장. 수군 책임자인 목지간은 계왕의 그 말을 듣고 흑천이든 광명천이든 다 죽이라는 뜻으로 여겼다. 흑천주도 미끼다. 다 죽어도 좋다. 아니 죽여라!

　귀찮았다ー

　계왕 설거는 흑천주 우복이 힘들었다. 누가 왕인지 헷갈렸다. 권력이란 그런 것이다. 부자지간(父子之間)에도 나누지 않는 것. 정점의 권력에는 부모, 형제, 자매, 부부가 없다. 오로지 권력을 가진 자와 가지지 못한 자. 명령하는 자와 따르는 자가 있을 뿐. 그런데 언제부터인가 사사건건 자신의 의견을 내세우는 우복이 거북스러웠다. 토사구팽이다. 토끼 사냥이 끝났으니 사냥개를 잡아야 한다. 강을 건넜으니 배를 버리는 것이 부담 없을 것 같았다. 계왕 설거는 그래서 우복이 여구의 손에 의해 죽기를 바랐다. 자신은 분서왕, 백제 왕가 온조계의 피를 이은 것이다. 우복과 어미가 사통해서 낳은 사람이 아니다. 아니 그래서는 안 된다는 생각도 했었다. 절대무왕의 꿈을 꾸고 있는 자신이 어미 하미에게 그 이야기를 들었을 때, 미치도록 싫었던 일이었지만 우복이 내신좌평이 되고 자신을 절대무왕으로 만들어 준다고 해서, 든든한 후견자로 믿고 따랐을 뿐이다. 우복의 예측과 후원은 정확했다. 덕분에 왕이 될 수 있었다. 그래도 왕이 되었으면 달라져야 하는 것 아닌가? 믿고 맡겨야 한다. 수렴청정(垂簾聽政)하는 상왕(上王) 같은 우복. 그 우복이 계왕 설거는 힘들었다.

그래서 기다리다가—

두 시진 기다리다가 들어가라 했다. 아군과 적군을 구별하지 말고 화살을 날리라고 했다. 시체를 다 확인하라는 말은 뺐다. 비류왕이 있었기에… 비류왕 여호기가 이 섬에서 살아 있었다는 것을 한성백제가 알아봐야 도움 될 것이 없었다. 여구는 안 올 수도 있었다. 계왕 설거 자신이라면? 안 올 것이다. 죽음이 빤히 보인 길이었다. 자신 같으면 안 올 것인데… 달랐다. 여구가 망자의 섬으로 들어가고 있다는 첩보가 들어왔다. 계왕은 여구가 더 미웠다. 수하들에게 다시 한 번 다짐을 받았다.

다 죽여라—

계왕 설거는 자신과 다른 여구를 느낀다. 무모한 놈. 어리석은 놈. 자신의 목숨이 얼마나 위험해지는지를 모른다는 것인가. 그리해서 무엇이 달라지는가. 비류왕을 살릴 수 있다고 생각하고 사지(死地)에 뛰어든 것인가? 그런 생각들이 계왕 설거의 머리에서 떠나지를 않았다. 뭔가 시원하게 해결되어야 할 것들이 많은 날이었다. 계왕 설거에게는.

하늘을 밝히던 해가—

태양이 떨어진다. 바다를 가득 메운 백 오십 척의 함선 중에 멀리 망자의 섬으로 처음 간 것은 오십여 척. 삼천의 군사가 넘었다. 뒤를 이어 이십여 척, 이천의 병사가 더 갔다.

급한 전갈이 계왕 설거에게 도달했다. 열도의 백제 감독기관에 넣어 두었던 첩자 중의 하나였다. 야마다 대해부가 일시에 백제 무사들을 고립시켰다고 했다. 그리고 야마다의 함대 삼백 척이 몰려오고 있다고 보고했다.

"부어라? 백제 부사들은 뭘 했다는 말이냐?"

당했다. 야마다 대해부. 그 늙은 여우에게 잡혔다. 그리고 이제 망자의 섬으로 오고 있다. 야마다 포구에서 망자의 섬까지 하루거리다. 배로 하루… 삼백 대 팔십 척. 섬에서 다 돌아와도 삼백 대 백오십 척. 그것도 해전에 능한 야마다와의 해전은 필패로 여겨졌다. 계왕 설거는 열도의 야마다 함대가 오기 전, 모든 일을 마쳐야 했다. 신호를 보냈다. 빨리 끝내고 나오라 했다.

망자의 섬으로 가는 해로(海路)는 안개가 수시로 낀다. 안개가 짙어지면 지옥으로 가는 길로 변한다. 한낮 세 시진과 한밤 북두칠성이 밝을 때, 겨우 해도(海圖)를 보며, 들어가거나 빠져나와야 했다. 그래서 날을 잡은 것이다. 한낮. 세 시진이 다 지나 버렸다. 급격히 안개가 끼고 있었다. 그러면 해도(海圖)를 읽을 수 없게 된다. 나침반이 문제다. 바늘이 제멋대로 돈다. 방향을 알 수 없게 된다. 안개와 함께 흔들리는 자철심은 망자의 섬으로 들어가고 나오는 길을 지옥으로 만든다.

유령이다―

안개가 휘돌자 사방이 보이지 않고 나침반은 방향을 잃었다. 세상에 이런 곳이 있다니… 암초에 부딪히기가 다반사였다.

겨우—

돌아온 계왕의 함선은 불과 이십여 척에 불과했다. 전투에서는 다 이겼다. 망자의 섬에서 사람의 씨를 말렸다고 했다. 여구도 화살을 여러 대 맞은 것 같다고 했다. 목지간은 그렇게 망자의 섬 내 전투에서는 이겼지만 나올 때는 안개에 당했다고 보고했다. 망자의 섬에 떠도는 영혼들이 그리 한 것 같다고 했다. 할 수 없었다. 이제 철수해야 했다. 얻은 것이 별로 없었다. 그렇게 계왕은 돌아갔다. 망자의 섬에서.

本 그 근본
心 마음의
本 그 근본은
太 아주 큰
陽 빛으로
昴 밝고도
明 밝음이다

人 사람
中 가운데

心 마음의

무게가 달랐다. 아비를 들춰 업고 달렸던 여구는 물에서 나오
게 되자 아비의 시신(屍身)이 더 무거워짐을 느꼈다.

폭포-

뒤에 동굴이 있었다. 물로 들어가 폭포 뒤로 나왔다. 숨을 수
있었다. 동굴 속으로 피했다. 거기 길이 나 있었다. 망자의 섬,
옛 단군조선의 물러난 선인들이 있던 작은 분지에 초가는 그대
로 있었다. 근자부와 세 선인이 흔적도 없이 사라진 곳. 비류왕

여호기와 여구가 함께 왔던 곳. 여구는 기력이 쇠해질 정도로 달려왔다. 그렇게 피하고 나서야 알았다.

여구는 오열했다. 비류왕 여호기가 온몸으로 화살을 막았다. 여호기의 등에 일곱 개의 화살이 박혀 있었다. 화살을 보면서 다시 여구는 눈물이 났다. 겨우 다섯이 살았다. 망자의 섬으로 올 때 칠백여 명이었다. 은자 다섯만이 겨우 살았다. 여구를 그림자처럼 호위하는 일곱 은자 중의 다섯, 여수(餘水), 여목(餘木), 여화(餘火), 여토(餘土), 여금(餘金)이 겨우 살았다. 여일(餘日), 여월(餘月)도 죽었다. 폭포로 뛰어들면서도 많은 은자들이 죽었다.

내 탓이다—

여구는 그렇게 생각했다. 자신의 오판이 부하들을 죽게 했다. 설마 했다. 그리고 급했다. 자신의 아비를 구하기 위해 다른 사람의 아비와 자식들이 죽은 것이다. 여구는 은자들을 보았다. 다들 비통해했다. 그리고도 아직 위기는 끝나지 않았다. 비류왕의 시신을 근자부가 머물던 초가 마당에 모셨다. 이제 곧 계왕 설거의 부대가 저 병풍처럼 두른 산줄기를 넘어오리라고 생각했다. 열도 야마다의 일도 걱정되었다. 이제 대대적인 사냥이 시작될 것이라 여기고 여구 일행은 칼자루를 단단하게 잡았다.

　서로 걱정하면서 시간이 갔다-

　야마다 수군은 망자의 섬으로 들어갈 수가 없었다. 섬에서는 연기가 안개와 함께 일어나 있었다. 본 자도, 들은 자도 없었다. 그렇게 기다릴 수밖에 없었다. 대해부는 계왕 설거 함선이 도망치듯 망자의 섬을 떠난 것을 확인했다. 계왕의 수군을 추격해 지켜보라 명하고, 일부 함선은 망자의 섬 안개 영향권 밖에서 대기하라고 명했다. 설거의 함선이 떠난 것이 확실했다. 대부분의 수군을 원대복귀 시켰다. 대해부 자신이 문제였다. 이제 배를 탈 수가 없을 정도로 노쇠해졌다. 지휘는커녕 짐만 되었다.

　여구의 생사가 문제였다-

　사흘이 지났다. 얼마나 길었는지 연희여왕은 자칫 조산(早産)할 뻔했다. 여구가 살아 있어야 했다. 비류왕과 여구, 그리고 오행장 행방을 찾지 못했다는 소식이 더욱 연희를 초조하게 했었다.

　"누… 누구냐?"

순간적으로 망자의 섬 분지에 있던 사내의 목에 칼이 얹혀졌다. 거기 여구가 서 있었다. 목에 칼을 대고서도 사내는 반가워했다. 이틀이 지나자 은퇴자의 산에서 나와 망자의 섬을 살피고 있었다. 계왕 설거의 군대는 산줄기를 넘지 않았다. 은퇴자의 초가에서 이를 기다리던 여구 일행이 밖으로 나온 것이다. 야마다 수군에 편재되었던 은자(隱者)를 만났다.

"살아계셨습니다. 진정 살아계셨어요."

무존(武尊), 여구였다. 열도 최고의 절대무존(絕對武尊)의 신화가 자라고 있었다. 망자의 섬에서 무려 칠천의 한성백제 병사들과 천 명의 열도 무사들이 싸워서 이겼다. 처음으로 여구의 이름이 열도에 강력하게 박히기 시작했다.

살아 있느냐?

진하연은 그날 밤을 뜬 눈으로 보냈다. 계왕 설거가 출정해서 싸움을 벌인 바로 그날이었다. 야마다 연희여왕의 딸 대유현에게 물었다. 그리고 답을 들었다.

"살아 있다니까. 안 죽어. 자기 걱정이나 먼저 해야지."

쉽게 안 죽는다고 했다. 진하연이나 걱정하라고 했다. 그리 말해주니 조금 안심이 됐다. 한시름 놓았다. 진하연과 다른 이유로 한성백제 귀족들이 뒤숭숭했다.

"고구려가 더 강해지고 있습니다. 미천왕 일로 고국원왕이 우리 백제를 좋게 보지 않습니다."
"대방 백제왕이라니… 설리 좌장이 반란한 것이 아닙니까?"
"하긴 설리 좌장의 처지에서 보면…"
"쉬이, 자칫 무슨 난리를 겪으려 그러십니까?"

백제귀족 대화백회의 의장인 내신좌평 진의(眞義)는 사씨(沙氏), 해씨(解氏), 진씨(眞氏), 목씨(木氏), 국씨(國氏), 연씨(燕氏), 묘씨(苗氏), 협씨(協氏) 등 8대 대륙백제에서 온 귀족 씨족 장들과 담화에서 그런 얘기를 나누고 있었다. 요즘 들어 진의는 신궁(神宮)에서 진하연과 백제의 미래에 대해서 많은 얘기를 나누고 있었다. 이대로는 위험했다. 한성백제로 점점 국세가 위축되고 있었다. 이를 타개할 대책이 필요했다. 헌데? 계왕 설거는 제멋대로였다. 열도와의 전쟁은 귀족회의 의결 사항이었다. 그런데 전혀 상의도 없이 급히 추진되었다. 한성백제의 귀족들은 또 흑천주에 대해서도 할 말이 많았다.

"도대체 그가 누구란 말이요? 내신좌평께서는 아시오?"

"아니… 저도 잘 모릅니다."

"백제의 국사라는 사람을 내신좌평이 모른다? 허허. 이게 말이나 되는 일이요? 아니 그렇소?"

"백성 사이에서 소문이 안 좋습니다. 흑천이라는 사특한 세력 탓에 백제가 삼분됐다고들 합니다."

"그럴 리가 있겠습니까?"

"그러니… 흑천주에 대해서도 명명백백하게 밝혀야지요. 아니 그렇습니까?"

"저희 대륙에서도 난리입니다. 이제 어찌해야 합니까?"

귀족 씨족 장들은 이러지도 저러지도 못하고 있다. 그 사이 대륙백제의 실권을 쥐고 있던 설리가 대방 백제왕을 자칭했다. 그 밑에 있던 각 지방 태수들에게 작위까지 내리고 있었다. 명문세가들이 두 갈래로 나뉘었다. 아니 나뉬다. 한 무리는 한성백제에 충성하고, 나머지 또 한 무리는 대방백제에 속하게 되었다. 씨족이 둘로 갈라져서 눈치만 살피고 있는 것이다. 계왕 설거에 비하면 대방백제 설리는 안정적이었다. 나이가 있었다. 달랐다. 문제는 그 나이가 설리는 곧 은퇴할 나이였다. 계왕은 이제 창창한 삼십 대가 되고 있었다. 자기중심적이고 저돌적이면서도 치밀했다. 계왕은 정보를 통제하고 공포를 유발하는 공포정치로 귀족들을 압박하고 있었다.

"귀족들의 동요가 상당합니다."
"그럴 수밖에요. 그래야 정상입니다. 아니면 귀족들이 그 오랜 세월 권력을 유지해 왔겠습니까?"

진하연은 귀족들이 권력을 유지하고 싶어 하는 속성을 잘 알고 있었다. 이제 때가 오고 있었다. 진하연은 계왕의 열도 정벌이 실패할 수밖에 없다고 여긴다. 그런 것이다. 백제를 위해서 좋은 일이 반드시 계왕을 위해서 좋은 일은 아니다. 진정 백제를 위한다면 열도 야마다와 전쟁을 해서는 안 된다. 그것이 백제를 위해서 낫다. 백제는 계왕의 것이 아니다. 계왕은 잠시 하늘로부터 백제를 위임받고 있는 것일 뿐, 하늘의 뜻이 반드시 계왕에게만 있다고 볼 수는 없다. 계왕의 시대가 얼마 남지 않았다고 진하연은 생각하고 있었다. 그래서 준비했다.

그것이 화근이 됐다―

계왕이 놀아왔다. 열도로 간지 불과 보름 만이었다. 최소 두

서너 달 이상은 되어야 했다. 그런데 너무 일찍. 그리고 돌아온 수군이 너무 적었다. 백 오십 척 중에서 삼 분의 일이나 잃었다. 돌아온 수군들은 섬 하나를 겨우 공격했다고 했다. 그리고 무엇을 얻었는가.

"왜들 말을 못하시오! 이리 묻고 있지 않소?"
"…?"

다들 침묵했다. 한성백제 고마성에서 계왕 설거가 돌아오자 중신회의가 귀족회의를 겸해서 열렸다. 그 자리에서 계왕이 오히려 백제 귀족들을 몰아붙였다.

"귀족들이라고… 뭘 도와준 것이 있소?"
"…!"
"도대체 귀족들은 무얼 하고 있느냐는 말이오!"

기세가 너무 등등했다. 당당했다. 분명히 정벌을 떠난다고 했는데 정벌한 것이 없었다. 섬 하나 공격하고, 거기 있는 사람의 씨를 말렸다는 데… 그리고 흑천주 그 백제 국사(國師)가 죽었고, 암초를 만나 배 오십여 척과 병사 오천 가까이 다 잃었는데도… 저리도 당당했다. 미간을 찌푸린 계왕의 앞에서 귀족들은 할 말을 잃었다. 그리고 긴장했다. 백제의 위기다. 다들 아무 말을 하지 않았다. 목숨을 부지하기 위한 것이다. 자라 목. 권력의 행태를 잘 아는 귀족들이 할 수 있는 최상의 보신책이다. 저런 왕 앞에서 무슨 말을 할 수 있는가. 지킬 것이 많으니 입을 닫을 수밖에 없었다. 백제의 앞날이. 아니 자신들… 귀족들의 앞날이 걱정되고 있었다.

전쟁이다―

상황이 매우 안 좋았다. 여구가 돌아와 보니 열도에 전쟁의 바람이 불어오고 있었다. 고구려계의 진출이 본격화되고 있었다. 열도의 북쪽에서 신라계와 가야계 소국들이 차례로 정복당하고 있었다. 부여 왕이었던 의라계가 중심이었다. 의라계는 열도 본토 중심으로 서서히 밀고 내려왔다. 열도 서부 전역에 전쟁의 기운이 만연해졌다. 대해부는 이제 자신의 수명이 다했음을 직감했다. 이제 그때가 되었다.

"내가 가야 할 때다."
"할아버지…"

연회여왕이 울고 있었다. 여구도 눈시울이 붉어졌다. 대해부가 사라진다는 것. 그것이 의미하는 것이 무엇인지 잘 알고 있었다. 열도에서 대해부만큼 천인(天人)으로서 신인(神人)으로서 이름이 높은 사람은 없었다. 그 대해부가 없으면 야마다의 중심이 흔들리는 것이었다. 더구나 의라계가 패권을 차지하기 위해 열도 중심에서 힘을 모으고 있었다.

"이제 너의 시대다. 너희는 다만 하늘의 뜻을 따라라."

그리 말했다. 그리고 조용히 눈을 감았다. 대해부. 그렇게 긴 인생의 여정을 풀었다. 야마다는 슬픔에 빠졌다. 대해부가 없는 야마다는 그래서 더욱 긴장했다. 대해부의 시신은 토기에 조용히 넣어졌다. 대해부가 원했던 것처럼 나주벌에 세워진 가묘(家廟)에 안치하기로 했다. 조상과 원혼을 같이하고자 했던, 나주벌에 가고자 원했던 사람들의 토관이 같이 떠났다. 대해부와 함께 고향 나주벌에 묻혔다. 대해부 일과 열도의 전쟁을 준비하기 위해 반년이 빠르게 지났다.

"신궁은 지금 백제가 어떻다고 생각하시오?"
"예?"
"나는 지금 백제의 위기를 극복하기 위해, 신궁이 무엇을 해야 하는 지… 그것을 묻고 있는 것이요!"

계왕 설거 앞에서 신궁주 진하연은 기겁했다. 신궁을 의심하고 있었다. 신궁(神宮). 백제의 신궁이 계왕으로부터 의심을 받는다? 그것은 곧 자신에 대한 의심이었다. 내신좌평 진의(眞義) 또한 그러했다. 계왕은 신궁을 의심하고, 신궁은 그런 계왕에게 백제가 나아갈 진로를 제시하지 못하고 있었다. 백제 제일의 지모를 자랑하던 진하연은 그런 계왕의 의심을 풀어주어야 했다.

"저희 신궁은 폐하의 명을 기다리고 있습니다. 하늘에 제를 지내 사특한 백제의 반도들을 처단할 방도를 찾겠습니다."
"그래야지요. 마땅히 그러지 못한다면? 책임도 져야 합니다. 아니 그렇습니까?"
"예?"

책임을 지라. 백제를 부흥시키지 못하면 책임을 지라는 명이 진하연과 진의에게 내려졌다. 참으로 난감했다. 왕이 무엇인데… 누구인데… 이런 명을 받고 보니 자못 황당했다. 방도를 찾으라 했다. 그 준비를 해야 했다. 하늘에 천제를 지내야 했다. 신궁(神宮)은 그 일로 바빠졌다. 진하연은 내내 머리가 아파져 왔다. 열도는 의라계의 침공을 막아야 했다. 대대적인 전쟁이 예고되었다. 야마다에 있는 귀류도 걱정되고, 이제 한성백제도 안

전하지 않으니 대유현도 걱정되기 시작했다. 대천관 신녀에게 상의할 수밖에 없었다.

눈이 어두워지니까—

밝아지는 것은 생각뿐이라며 걱정하지 말라고 했다. 백제 제일 지녀가 아무리 궁리를 해도 묘안이 나오지 않는데… 이리저리 포위된 느낌인데… 대천관 신녀는 그래도 걱정하지 말라고 한다. 하늘이 제물을 원하고 있을 뿐이라고 했다. 이미 예고된 대로 그 제물이 바쳐지면 하늘은 그 큰 뜻을 시작한다고 했다. 비류왕 여호기가 다시 죽었다는 소식에도 오히려 대천관 신녀는 미소를 지었다. 그리되었으리라고 했다.

"그분은 그리하셨을 것입니다. 아이를 위해 아비가 해줄 수 있는 것이 그저 제 몸뚱이를 바치는 것뿐이라면 그리했을 것입니다. 그렇게 다 잃고 얻은 것입니다. 사람의 마음. 아들의 마음을 얻었습니다. 그 아들의 마음에 아비의 뜻을 심었으니 다 잃고서야 다 얻은 셈이지요."

"그런 운명이었습니까? 그분 사주가?"

"사주는 여덟 기둥이니까… 동서남북처럼 사방으로 뻗은 여덟이지요. 그 여덟에 하나, 즉 두 기둥… 한 단어가 들어가야 합니다."

"그것이 무엇입니까?"

"그것은 바로 정심(正心)입니다. 마음이지요. 욕심(慾心)이 가득 차기도 합니다. 허심(虛心)도 있습니다. 사심(邪心)도 있을 수 있습니다. 애심(愛心)도 지나치면 병(病)이 되기도 합니다. 그렇게 내 안에 있는 마음이 열 번째 기둥을 이룹니다. 그 열 기둥이 세워지면 밖에 시운(時運), 즉 때가 작용합니다. 그 때가 영웅을 만들기도 하고 시정잡배를 만들기도 합니다."

"그 시운(時運)은 곧 하늘의 뜻이 작용하는 것입니까?"

"하늘은 곧 사람이니… 사람으로 나타납니다. 그 사람을 얻는 것이 곧 하늘의 뜻을 얻는 일이니… 하늘의 뜻을 읽고 사람을 얻으면 그가 곧 시대의 영웅이 되는 법입니다. 하늘의 뜻은 그래서 그 시대(時代)의 정신(精神)입니다."

"우리는 지금 제대로 하는 것입니까? 두렵기도 합니다."

"그렇습니다. 두려워해야지요. 그리 두려워해야 합니다. 그래야 제대로 가는 것입니다. 두려움이 없다는 것은 마음속에 정심(正心)이 없다는 뜻이기도 합니다."

대천관 신녀는 그렇게 말하면서 비류왕 여호기가 아들 여구에게 주려 했던 것이 바로 그 사람이라고 했다. 그리고 이제 때가 오고 있다고 했다. 이제 껍데기만 남은 자신도 할 일이 있을 것이다. 다만 그 이야기는 진하연에게 할 수 없었다.

열도에서 의라계와 야마다의 대전쟁이 시작되고 있었다. 여구는 나주벌에서 아무도 몰래 군대를 열도로 데리고 왔다. 대해부 장례를 빌미로 대대적인 수송 작전이 벌어졌다. 열도의 사람들, 즉 농민들이 나주벌로 갔다. 그리고 나주벌에서 그 사람들이 돌아온 것으로 했다. 정예 기마병 이만 명이 석 달에 걸쳐 나주벌에서 열도 야마다로 위장해서 들어왔다. 야마다에 오자마자 그 기마병들은 말을 타고 사라졌다. 한성백제와 의라계 첩자들이 야마다에 부쩍 늘었다. 그들의 눈을 속이고 있었다.

계왕은 열도에 은밀히 백제 무사들을 넣었다. 부여 의라계에 화친을 청하고, 연합해서 야마다를 공격하기로 했다.

"야마다는 내 명을 어기고 반란을 획책했다. 이에 열도 안녕을 위해 한성백제군을 보내어 같이 야마다 연합을 정벌할 것이다."

계왕은 부대를 보내기로 했다. 그러나 한성백제 귀족들의 반발이 너무 심했다. 신궁(神宮)은 불가하다고 했다. 그 서신은 태사자를 통해 보내졌다. 태사자를 보내고 나서도 귀족회의 반발로 열도 지원군 추인이 무산되었다. 계왕은 불같이 화를 냈다. 그러나 더는 우길 수가 없었다. 때마침, 나주벌에서 무장군대가 북쪽으로 이동하기 시작했다. 북부, 즉 한성백제로 진군하는 듯 했다. 야마다 정벌을 위해 한성백제가 파병을 할 수 없는 상태가 되었다. 할 수 없었다. 태풍을 핑계대고 파병을 미뤘다. 속으로는 그냥 포기했다.

"다행입니다."

"정말 그렇습니다. 그러나 나주벌에서 한성백제를 공격하면 어찌 됩니까?"

"그럴 리가 없습니다. 절대 그럴 리 없습니다."

"어찌 그리 자신을 하십니까?"

"저는 믿고 있습니다."

그러나 그 믿음의 이유를 얘기할 수 없었다. 진하연은 그렇게 내신좌평 진의와 상의하고 있었다. 때를 잘 맞추어 나주벌에서 다행히 군대가 움직였다. 그것이 귀족들에게 좋은 빌미가 되었다. 나주벌에 진하연이 연통한 까닭이었다. 그것이 한성백제를 위기에서 구하고 열도를 구하는 일이 될 것이었다. 그 일은 이제 시작되고 있었다.

무존-

그 신화가 시작되었다. 전쟁은 열도 남서쪽 야마다와 자가국 (滋駕國) 등의 30여 개 소국 세력과 북쪽 고구려 세력, 중부 부여계 연합세력의 대충돌이었다. 전쟁의 중심은 중부, 본토였다. 백제 고이왕 시절 요동(遼東)에서 새로이 부여국 왕이 되었던 의려왕의 아들 의라왕(依羅王)이 부여 유민들을 이끌고 열도 중부 나라 지역으로 건너와 숭신천황(崇神天皇)이 되었다. 그가 점차 열도의 중심, 높은 후지산을 중심으로 점차 세력을 넓혀 갔다. 고구려와 부여, 신라 그 연합 세력이 의라계였다.

기병의 싸움-

나주벌에서 온 이만의 기병을 몰래 어디론가 보냈다. 야마다는 오만의 병사들을 중무장시켰다.

열도에서의 전쟁 방식이 달라지고 있었다. 경기갑병들이 강력한 정예부대로 키워지고 있었다. 무사들의 싸움으로는 한계가 있었다. 의라계는 부여와 고구려의 기병을 바탕으로 했다. 오만의 군대를 편재해서 그 중 일만 오천을 기병으로 만들고 있었다. 대륙과 달리 말을 확보하거나 대규모 기병을 운용하기가 쉽지 않았다. 그런 가운데 의라왕은 일만 오천을 기병으로 편성해서 야마다와의 대결전을 준비했다.

수군은 삼만 명에 가까웠다. 함선은 크고 작은 배가 칠백이 넘었다. 대혈전은 불가피했다. 소국들은 강국들의 연합제의에 선택해야 했다. 의라계에 오십여 개국이 넘어갔다. 야마다는 대해부가 죽고 나자 삼십 국에서 한 국도 늘어나지 않았다. 한성백제와 대륙백제가 갈라지고, 열도 야마다를 치기 위해 한성백제에서 의라계에게 지원군을 보내겠다고 했다. 그런 모든 상황이 의라계를 유리하게 했다. 야마다는 대 위기를 맞이하고 있었다.

本 그 근본
心 마음의
本 그 근본은
太 아주 큰
陽 빛으로
昂 밝고도
明 밝음이다

人 사람
中 가운데

本 그 근본은

태자 여걸걸(餘傑傑)의 공로가 컸다. 죽은 태자 걸걸은 야마다 일원 소국들과 교통했다. 걸걸은 설거가 맺어놓은 관계를 뛰어넘는 혈연관계를 맺고 있었다. 야마다 주변의 30여 개 소국은 이제 백제 왕가, 즉 비류왕의 태자 걸걸과 혼인관계였다. 자식이 80명이나 되었다. 그것이 아우 여구에게도 힘이 되고 있었다. 그들은 어쨌든 여구의 일가들이었다. 여구는 그들을 다 품었다.

먼저 태자 여걸걸(餘傑傑)을 길대왕(傑大王)으로 추대했다—

열도에서 태자 걸걸의 씨족을 계속 우대하기 위함이었다. 그 걸대왕의 아들이 있는 30여 소국들을 중심으로 또 하나의 군을 편성했다. 은자(隱者) 여수(餘水)가 그 일을 총 지휘했다. 전권 (全權) 대신(大臣)을 세운 것이다. 이는 훗날 열도의 지배방식이 되기도 한다. 모든 군사 행정권한을 전권(全權) 대신(大臣)이 가지게 하여 지배층인 왕가(王家)의 권력 다툼을 관장하게 했다. 왕자들과 공주들이 서로 권력 쟁취를 하려면 전권(全權) 대신(大臣)을 얻어야만 가능하도록 했다. 그 전권 대신의 시작은 대해부 천인(天人)이었지만, 여구는 은자(隱者)의 수장들로 하여금 그리하도록 했다. 권한은 전권 대신이 갖고, 상징적 왕권은 천황(天皇)과 여황(女皇)이 가지는 방식이었다. 이는 또 손 하나 안대고 야마다 주변 30여 소국을 정벌한 효과로 나타났다. 소국들의 여황(女皇)은 백제왕가 비류계와 이리저리 얽힌 중혼(重婚)의 혈연관계가 된 것이다.

아직, 기병들의 전쟁 경험이 없다—

이를 활용해야 했다. 여구는 의라계의 수장(首長)에 대해 알아오도록 했다. 상대를 알아야 했다. 연합군은 약점이 있다. 의견이 분분할 수 있다는 것이다. 더욱이 열도는 아직 군 체계가 갖추어 있지 않았다. 속도전을 펼치면 수적으로 다소 불리해도 승리를 주도할 수 있을 것 같았다.

밀사가 도착했다—

열도 중원에 자리를 잡은 부여계 의라왕(依羅王)이 그 중심이었다. 신라의 공주를 맞이해서 의라왕이라 했다. 그래서 고구려와 신라의 지원을 얻을 수 있었다.

"뭣이— 한성백제군이 지원하기로 했단 말이냐?"
"예."
"계왕께서 일만의 병사를 보내기로 했으나 지금은 태풍 철이니 9월은 지나야 할 것이라 했습니다."
"아니 좋다 좋아. 8월이면 어떻고 9월이면 어떠냐… 오기만 하면 된다. 부여, 고구려, 가야, 신라에 이어 백제까지… 이리도 좋을 수가 없다. 그리만 된다면야…"

의라왕은 열도에서 숭신천황(崇神天皇)으로 추앙받는 정복군주였다. 열도 본주(本州)에 있던 백제계 나라 세력을 몰아낸 주인공이었다. 이제 규슈의 야마다 계열과 본주, 즉 혼슈(本州)의 의라계는 한판 대전쟁을 치를 수밖에 없었다. 대해부가 그토록

백제의 신기술을 얻으려 했던 이유였다. 부여계 의려왕과 의라왕은 대해부 평생의 숙적이었다. 의려왕도, 의라왕도 대륙 요동의 부여국 출신으로 전쟁에 능했다. 그리고 고구려, 신라 왕가와 깊은 관계가 있었다. 그런 의미에서 열도 남서부의 대해부보다는 대륙과 반도를 연결하는 데서 유리한 면이 있었다. 그것이 대연합군을 편성하게 했다.

대연합군-

나주벌 대해부가는 계왕의 한성백제와 긴장 관계에 있었다. 그러나 다행히 한성백제의 귀족들은 나주벌 대해부가의 반란을 빌미로 계왕과 절묘한 대치를 이룰 수 있었다. 적의 적은 동지라는 말이 있듯 한성백제 계왕의 적인 나주벌의 반란군이 한성백제의 귀족들을 지탱하게 하고 있었던 것이다. 그렇듯 열도의 전쟁 참여를 놓고 계왕과 귀족들의 갈등이 첨예했다. 고마성은 곪을 대로 곪아 버렸다.

흑천을-

서위가 맡았다. 계왕은 서위에게 흑천주 대행을 맡기고 자신이 수렴청정하기로 했다. 그 흑천이 한성백제의 정보와 암행을 책임지기로 했다. 흑천의 위세가 축소되었다. 지난번 망자의 섬에서 대부분의 무사들이 죽었기 때문이었다.

이를 재건하라─

이것이 계왕의 명이었다. 흑천주 서위는 그 일을 하는 데 있어서 무리가 있음을 알았다. 백제왕의 뜻에 따르는 흑천주를 각국의 지부들은 믿지 않았다. 흑천주는 백제를 넘어 각 나라에서 역할을 할 때 비로소 흑천이 되는 것이었다. 그러나 계왕도, 서위도 그러한 훈련을 받아본 적이 없었다. 다만 계왕이 시키니까… 그렇게 하고 있었을 뿐이었다.

설귀에게 연통이 왔다. 대방 백제왕 설리였다. 병관좌평 설귀는 본디 온조계 설리의 사람이었다. 연통의 내용은 설귀를 한성백제 좌장 겸 내신좌평으로 제수하겠다는 제의였다.

또 다른 백제왕─

이간책(離間策)이었다. 설귀는 고민했다. 그 고민을 바라보는 눈이 하나 있었다. 흑천이었다. 흑천의 간자(諫子)는 그 사실을 계왕에게 보고했다. 계왕이 설귀를 불렀다. 설귀는 계왕에게 그

밀지를 보여주어야 했다. 계왕이 호탕하게 웃었다.

"역시 설귀 대장군입니다. 이러한 밀지를 보여주시다니… 유혹에도 흔들리지 않는 설 장군에게 경의를 표합니다."

설귀는 계왕 설거가 자신을 의심하여 불렀다는 것을 알고 긴장했다. 북성 전역에 총출동 준비를 시켰다. 그리고 중무장한 무절랑대를 이끌고 고마성으로 왔다. 아니나 다를까 계왕 설거가 자신을 의심하고 있다는 확신을 하게 되었다. 계왕 설거는 설귀의 무용(武勇)을 잘 알고 있었다. 자신쯤은 두 합 상대도 되지 않았다. 계왕의 무예 스승 설귀. 백제 태을검법의 대가 중의 대가다. 백제 무절의 훈련태감으로 무절랑대의 전설이다. 그런 설귀. 함부로 죽일 수는 없었다. 그래서 선모후사(先謀後事)하기로 했다. 먼저 꾀하고 나중에 일을 벌여야 했다. 성급히 행동하면 실패할 것이었다. 새가 먹이를 낚아채려면 몸을 낮추고 날개를 접듯이 항시 먼저 획책하고 나중에 일을 벌인다. 설귀를 잡는 방법에는 이것이 상책이다. 그런 계왕의 눈빛을 설귀는 읽고 있었다.

"장군을 부른 것은 이제 고구려의 침입을 막음과 동시에 장군을 대륙백제 좌장으로 봉하고 대방태수로 제수하고 싶었기 때문이요. 병관좌평으로 백제군 전체를 통솔하고 있으니 식읍으로 대방지역을 받음이 어떻소?"

계왕 설거는 대방 백제왕 설리와 병관좌평 설귀를 갈등하게 해야 했다. 이이유적(利而誘敵), 즉 이익으로 적을 유인하는 계략이다. 이이유지(利而誘之)라고도 한다. 설귀는 그 말뜻이 무엇인지 알았다.

"그저 감읍할 뿐입니다. 제가 반드시 설리 역적을 잡아 올리고 그 식읍을 주심에 감사드리겠나이다."

그렇게 대답했다. 그리고 고마성을 나오면서 통탄했다. 계왕 설거는 자신을 믿지 않는다. 적의 밀지 하나에 저리 흔들리다니… 설귀는 자책감이 든다. 계왕 설거가 왕이 되는 데 자신의 공로를 벌써 잊은 듯 했다. 더욱이 자신의 신망을 두려워하고 있다. 그릇이 작다. 앞으로의 일이 걱정되고 있었다.

태풍이 불었다―

피해가 컸다. 반도 남쪽 나주벌과 열도에 큰 비가 내렸다. 계곡에 물이 넘쳐났고 농토가 불에 잠겼다. 농민의 시름은 깊어갔다. 전쟁을 앞두고 참으로 어려운 시기가 도래하고 있었다. 열도 혼슈의 피해는 열도의 남서쪽 야마다에 비하면 상대적으로 적었다. 이제 문제가 달라졌다.

의라왕(依羅王)은 이번 승리를 장담했다. 태풍 피해도 작았다. 나주벌이 태풍의 영향을 받아 피폐해진 이상 야마다 세력은 반도에서 지원을 받기가 어렵다. 게다가 야마다는 태풍의 피해를 크게 입었다. 이젠 승부가 대충 예고되었다.

더욱 세가 모일 것이다-

소국들이 앞을 다투어 의라왕에게 연합하기를 희망하고 있었다. 의라왕은 그런 소국들로부터 군비 지원을 받았다. 군비. 군대 식량과 무기 비용에 대한 지원은 엄청났다.

날을 잡아야 했다-

의라왕은 이제 때가 되었다고 생각했다. 속도전이다. 대세가 결정 난 이상 단숨에 정복하고 싶었다. 열도의 남서부 규슈와 혼슈 중원은 이제 전쟁으로 돌입한다. 출정명령만 기다리는 칠만의 병사들이 있었다. 충분했다. 기병도 이만으로 늘어났다. 여차하면 삼만은 혼슈에서 추가로 징발할 수도 있었다. 일만의 한 성백제군이 온다면 그것으로 끝이다. 야마다의 최대 병력은 삼만, 사만을 넘지 않고 기병은 일만을 넘을 수 없다. 그것이 의라왕의 판단이었다.

가자-

백제군이 오기 전이었기 때문에 의라계 연합군을 넷으로 나누었다. 선봉에 기병을 가장 잘 다루는 고구려군의 군장 연구장(淵口帳)을 세웠다. 그 좌우에 신라 군장 박거랑(朴巨郞), 가야 군장 금각(金閣)을 세우고 자신 의라왕(依羅王)은 중군을 맡았다. 후방은 병참을 위해 자신의 아우 여청(餘靑)을 세웠다.

규슈 야마다 신궁을 향해서다-

오만이 움직이기 시작했다. 곧 신라와 가야의 지원군이 온다. 고구려 추가 지원군도 올지 모른다. 추가로 한성백제의 계왕이 지원군을 보낸다고 한다. 사상 최대 정벌전이 될 것이다. 규슈 야마다 신궁은 초비상이 된다.

"소식이 왔습니까?"

"아직 안 왔소… 바닷길에 태풍이 불고 파랑이 심해 계속 연락선을 띄우기가 어렵소."

"이런 천재지변이…"

"이제 우리에게 남은 것은 하나뿐이오! 그것을 잃으면 안 될 것입니다."

태풍철이 끝나면 그 즉시 전쟁이 시작되리라고 예상했다. 적은 현재 벌써 칠만을 넘고 있었다. 야마다 전역을 동원해도 사만 병력이 조금 넘을 것이다. 말은 충분히 확보해 놓았다. 나주벌 이만 병사도 움직여 놨다. 문제는 규슈 야마다의 방어가 아니다. 다들 그것을 걱정하고 있지만, 여구의 생각은 달랐다. 먼저 오행장(五行長)을 불렀다. 작전회의가 길게 시작되었다. 이제 열도를 시작으로 대전쟁의 시기가 온 것이다. 그동안 준비해 온 것으로만 해야 했다.

"적은 본토에서 아무리 많은 병사를 동원한다고 해도 이 바다를 건너야 한다. 우리도 마찬가지이다. 그래서 방법은 하나, 일시에 상륙한다. 수성은 오직 여수장군 혼자서 한다. 그것도 모지(門司) 이 한곳만 지킨다. 나머지는 다 공격이다."

규슈는 여수(餘水) 혼자서 지킨다? 수군이다. 야마다 세력의 소국들과 야마다 수군을 재편재한 여수(餘水)에게 명령했다. 수군만으로 야마다를 지키라고 했다. 규슈 야마다로 의라계의 군대를 상륙시키지 말라는 것이다. 그러면 규슈 야마다는 안전하다고 했다. 그럼 규슈의 다른 항구들은?

그리고 야마다를 비운다―

귀류는 아비의 전략이 이해가 가지 않았다. 신궁 사람들은 모두 출정하기로 했다. 연회여왕과 아이들 일부만이 은밀한 곳으로 피신했다. 치안을 담당할 일부 호위만 신궁을 지켰다. 그리고 모든 병력은 혼슈에서 규슈로 넘어오는 길목으로 향했다. 여구는 일부 병사들을 또 빼돌렸다. 마치 도망치는 것처럼 규슈 야마다의 출정 길은 그 군대의 배치를 엉성하게 했다. 정말로 의라계의 수군이 다른 곳으로 넘어오지 않는다는 것을 절대로 믿고 있는 것 같았다. 이러다가 한성백제군이라도 들이닥치면 어찌 될 일인가. 그것이 귀류는 걱정되었다.

"야마다를 비우면 어떻게 되나요?"
"죽기 아니면 살기가 되지…"
"만약에 수군이 뚫리면… 어찌 됩니까?"
"다 죽든지 항복하든지 해야겠지…."

"…?"

"왜 그러느냐? 너무 위험한 것 같으냐?"

"예. 그렇게 하면 방어가 되지 않을 것 같습니다. 적은 우리 후방으로 배를 돌릴 것이고… 그러면 우리 신궁(新宮)이 무너지면 다 지게 됩니다."

"신궁을 얻으면 이기는 것이냐? 아니다. 전쟁은 그런 것이 아니다."

그렇게 해서 열도에서 근초고 여구의 첫 전쟁이 시작되었다. 여구는 이번 전쟁의 열쇠인 거울 생각을 맨 처음 해준 아들 귀류를 데리고 출정하기로 했다.

여수(餘水)가 편재한 야마다 연합군의 주력 수군은 규슈 섬에서 본토 혼슈 섬으로 가는 최단거리에 위치한 모지(門司) 항구에 다 모여 있었다. 수군에는 특수한 화기부대가 있었다. 여구의 오행장(五行長) 중의 하나인 여화(餘火) 부대였다. 이들은 그때만 기다렸다.

오고 있다-

적의 상륙선은 크고 작은 배가 무려 천이백 척이었다. 일시에 건널 것이라는 첩보가 속속 들어오고 있었다. 그래서 최단거리에 전 병력을 모으고 있었다. 의라왕은 무리했다. 한 번에 규수로 넘어오려고 했다. 최소한 오만은 넘게 상륙하리라 생각되었다. 수적인 우세를 지켜서 일거에 규슈 야마다를 무력화시킬 예정이었다. 기마대를 믿었다. 배로 건너기만 하면 곧 승리할 것으로 생각했다. 의라계 연합군이 다 모일 때까지 기다렸다. 북구주(北九州)의 관문 항인 모지(門司)를 앞둔 바칸(馬關繭) 항구에서 모이기로 했다. 그곳으로 의라계가 서서히 집결하고 있었다. 육지에 그 부대들이 다 모이면 한꺼번에 해협을 건널 생각이었다. 모지와 바칸, 배의 숫자가 달랐다. 인근 포구에 진을 치고 있던 군영의 수도 달랐다. 혼슈 의라계의 우세가 너무도 확연했다.

거울을 달아라—

여구는 준비해 놓았던 대로 거울을 각 배에 실으라 했다. 각 배에 수많은 거울을 달았다. 오백여 척에 거울이 달렸다. 거울의 크기는 사람만 했다. 그 거울, 한 배에 삼십 개씩. 일만 오천 개가 넘었다. 야마다는 무조건 천인(天人), 여구 말을 따랐다. 그 방법 외에 다른 방도는 없었다.

자, 출정이다-

이틀이면 다 도착할 거리였다. 여구가 야마다 전 수군에 이번 전쟁터가 될 혼슈 바칸(馬關繭) 포구와 규슈의 모지(門司) 항 사이로 집결할 것을 명령했다. 준비된 대로였다.

의라왕의 선봉장 연구장(淵口帳)은 일만 오천의 기병과 이만 의 보병 주력 상륙군을 데리고 포구에 진을 치고 있었다. 좌우 가야계 병사들과 신라계 병사들은 곧 도착할 것이다. 포구에 진 을 치고 있다가 전 병력이 도착하면, 사흘 이내에 규슈 섬으로 총진격할 것이다.

의라계는 총 병력이 십만 명에 이르렀다. 한성백제군까지 합 하면 십일만 명이 될 것이었다. 여구가 준비한 군대는 총 오만 명을 넘지 못했다. 단지 의라왕계가 추적하지 못한 이만의 기병 이 더 있을 뿐. 의라왕은 삼, 사만 명으로 야마다의 병력을 추 정했다.

"왔느냐?"
"예. 보낸다고 하셨습니다."

연통이 왔다. 태풍 끝에 출발해서 먼저 도착한 한성백제의 연통은 의라왕에게 승리를 장담하게 했다. 이틀이면 온다고 했다. 규슈 포구로 일만의 한성백제군이 온다고 했다. 기병 일만이었다. 상륙함 백 척이 추가로 온다. 승기는 우리 것이다. 야마다를 정복할 생각에 의라왕은 들떴다. 후방에서 삼만이 올 필요도 없겠다고 자만했다.

오직 하나라고 했다−

그날, 공격하기를 한낮에 한다고 했다. 열도는 태풍이 끝나면 무더웠다. 태양이 극성할 때였다.

공격이다−

정복하기 위해서는 공격을 해야 했다. 그런데 정복을 당할 야마다가 오히려 선공을 펼쳤다. 수군이 먼저였다. 선봉으로 먼저 포구에 도착했던 의라계 장수, 연구장은 깜짝 놀랐다. 자신들을 싣고 바다를 건널 배들. 그 배들이 불타고 있었다. 도대체 이게 어찌 된 일인가? 이유도 없이 불에 타고 있는 배들. 그 광경은 공포였다. 가만히 출렁이던 배에 엄청난 빛들이 모였다. 눈이 부시다. 그렇게 생각하는 순간 그 배는 불이 붙었다. 태풍에 흩어지지 않고 바람을 견디기 위해 배와 배가 포구에 묶여 있었다. 그 배들에서 듬성듬성 불이 나고 그 불은 곧 옆 배로 옮겨간다. 바람은 잔잔하고 하늘에는 그 어느 때보다도 강렬한 태양이 솟아 있었다.

그 태양-

그 빛을 근초고 여구의 수군이 모아서 집중하고 있었다. 포구를 오백여 척이 빙 둘러싸게 했다. 햇빛을 거울로 모아서 반사시키고 있었다. 일만 오천 개가 넘는 거울. 그 거울에서 반사된 햇빛은 순식간에 돛을 태우고 목선을 태우고 있었다. 불을 만들어 내고 있었다. 칠백여 척의 상륙선들이 일순간 불에 탄다.

공포다-

그 불, 그 광경이 본토 병사들을 공포에 질리게 하고 있었다. 도무지 적은 저 멀리에 있었다. 거기서 뭔가가 번쩍거리고 잠시 후 아군의 함선에서 불이 난다.

"아, 이것이었습니까?"
"그렇다. 이것이다. 이것은 내가 너에게서 배웠다."

네게서 배웠다. 이렇게 여구는 함께 출전한 귀류에게 말했다. 귀류는 아비에게 뭐든지 물었다. 위(倭) 야마다 비미호 후계자인 대유현이 한성백제 천관 신녀 경합을 위해 떠나자 귀류는 마가(馬家)에서 몸이 불편한 아이들을 돌보았다. 그러면서 초로에게서 마가(馬家) 고하 소도가 생긴 유래를 들었다. 그 유래. 기병 둘을 여구와 여강이 이긴 전설 같은 얘기였다. 그래서 귀류는 빛을 가지고 놀았다. 그 빛. 거울과 수정으로 만든 돋보기였다. 대해부가 늙어서 눈이 보이지 않았다. 초로도 늙어서 단복이 자신의 것과 함께 만들어준 것이다. 작은 것도 크게 보이게 하는 그 수정 돋보기는 귀류의 좋은 장난감이 되었다. 그 돋보기에서 귀류는 불을 낼 수 있다는 것을 알게 되었다. 다들 알고 있었다. 그런데 귀류는 아는 것에서 멈추지 않았다. 불을 내고야 말았다. 아비 여구는 그런 귀류를 혼내려 했다. 마가(馬家)가 통째로 타버릴 뻔했다. 그러나 그 이유를 듣고 여구는 더 혼내지 않았다. 그리고 곰곰이 생각하기 시작했다. 햇빛. 거기 불이 있었다.

"가운데를 아주 조금 더 안으로 해서… 만들면 어떨까? 거울에 빛이 모이면…"

그렇게 만들라 했다. 그리고 거리를 쟀다. 거울을 들고 세 방향에서 빛이 더 잘 모이고 강해지도록 훈련했다. 그 거리를 육지에서 쟀다. 그리고 만들라고 했다. 각 배에서 병사들에게 들도록 했다. 10개씩, 많게는 30개를 들고 빛을 반사해서 보내는 훈련을 했다. 그 훈련이 야마다를 이기게 할 것이다. 그래서 공격은 한낮 해가 가장 강렬한 그때로 했다.

포구—

병사들이 배에 올라 탔다면 다 죽었을 것이다. 연구장은 그나마 다행이다 생각하고 대책을 마련해야 했다. 좌군과 우군을 싣고 갈 상륙선은 어찌 되었나. 왜 아직 안 오나. 바로 그때였다. 좌군에서 연통이 왔다. 좌군을 태울 상륙함을 빼앗겼다는 것이다.

"상륙함을 누가?"
"야마다의 병력이 이미 본토로 넘어와 있었습니다."

여구의 주력군은 이미 수차례에 걸쳐 본토로 넘어와 있었다. 그 맨 뒤가 수군이었다. 가장 후방. 바로 여구와 귀류가 있는 곳이다. 주력부대들은 의라계의 옆에 숨어 있었다. 그리고 빛의 신호만을 기다리고 있었다.

공격하라—

공격 명령이 내려졌다. 근초고 여구의 수군은 불에 타고 있는 포구로 천천히 이동했다. 그 본토 포구 옆 개활지(開活地)에 삼만의 의라계 연합군 병사들이 있었다. 그중에 일만 오천이 기병이었다. 그들에게로 여구의 수군에서 거울로 태양을 반사시켜 빛을 쏘았다. 그것이 또 신호였다. 야마다 군의 기병들이 그 빛을 멀리서 보고 있었다. 그 거울에 반사된 태양 빛에 일만 오천 연구장 기병의 말들이 난동을 부리고 있었다. 말에 탔던 병사들은 다 떨어졌다. 진영에서 말이 난동을 부리니 병사들은 도망쳐야 했다. 말도 사람도 그 빛에 놀랐다. 삼만의 강군(强軍)은 졸지에 오합지졸이 되었다. 이때였다.

빛이 멈췄다—

야마다의 기병들이 난장판이 된 의라계 연합군 선봉부대 앞에 도착했을 즈음 해상에서 거울로 반사되어 쏘아진 빛들의 공격이 멈췄다. 그러자 곧 야마다 기병들의 공격이 시작되었다. 고구려계의 맹장이었던 연구장은 손쓸 틈이 없었다. 병사들은 저 스스로 살길을 찾았다. 수십, 수백 명씩 항복해 버렸다. 그렇게 쉽게 전쟁이 반전되었다.

"아, 이거다."

"무엇이 말이냐?"

"왜 병사들이 배에 오르지 않았는데 공격했는지 이제 알았습니다."

"그래? 그 뜻을 알았다는 말이냐?"

"예. 확실히 알았습니다."

"그래 그것이 무엇일 것 같으냐?"

"배는 다시 만들면 됩니다. 그러나 병사를 다시 기르기엔 시간이 걸립니다. 그 병사를 얻는 것입니다."

"그렇다. 그것이다. 내가 취할 최선의 방안은 그것이다. 병사를 얻는 것이다. 사람을 얻으면 나라가 커진다. 야마다 신궁을 얻는다고, 영토만 넓다고 큰 나라더냐? 아니다. 사람을 얻은 나라, 더 많은 사람이 따르는 그런 나라가 큰 나라다. 알겠느냐?"

"예. 알겠습니다."

"그래. 전쟁은 아니할 수 없다. 그러나 살생은 최소로 하는 것이 옳다. 적도 사람이니… 부모, 형제, 처와 자식이 있을 것이다. 그것을 항상 명심해라!"

전쟁은 할 수 있다. 그러나 살생은 줄여야 한다. 인간을 중요
시하라는 그 말을 여구는 아비 여호기에게서 들었다. 비류왕은
여구에게 사람을 얻는 방법을 일깨워 주었다. 여구는 귀류에게
이르고 있었다.

本 그 근본
心 마음의
本 그 근본은
太 아주 큰
陽 빛으로
昂 밝고도
明 밝음이다

人 사람
中 가운데

太 아주 큰

의라왕의 계획은 근본이 무너졌다. 규슈 야마다 신궁으로 가기 위해서는 상륙이 필수다. 상륙함들이 모두 불에 타거나 여구의 부대에 빼앗겼다. 그리고 연구강의 선봉부대 삼만 오천이 넘는 병사 중에서 살아 돌아온 병사가 칠천이 안됐다. 모두 죽거나 항복했다. 거의 대다수가 항복했다고 했다.

불리하다-

이제 남은 병사는 오만 명이 채 안 되었다. 대화성(大和城)으로 후퇴해야 했다. 달리 방안이 없다 여길 때, 한성백제군이 온다고 했다. 잠시 기다리기로 했다. 다행히 여구의 수군이 움직이지 않았다.

항복한 적을 재편재하라―

적도 쓴다. 항복한 적을 분산시켜서 재편했다. 기병부대 둘 사이에 항복한 군을 보병부대로 편재시켰다. 그리고 그 부대를 선봉에 세웠다. 그 뒤에 바로 야마다 보병부대가 따르게 했다. 기병대 둘 사이에서 보병부대 하나가 할 수 있는 것은 명령에 따르는 일밖에 없었다. 공을 세워라. 그러면 상을 준다! 그렇게 졸지에 여구가 있던 곳에서 이만의 보병이 추가로 편재되었다. 군령(軍令)을 강화하고 근초고 여구 군대로 편재하는 데 이틀의 시간이 흘러갔다. 그 시간을 한성백제군이 벌어주고 있었다.

왔다―

한성백제군이 도착한다고 했다. 계왕 설거의 부대. 일만의 기병이 곧 상륙한다고 했다. 그 연통을 받고 의라계는 기대하고 있었다. 그러다 기겁했다. 상륙함이 도착했다. 경기갑병들이 창과 칼을 들고 상륙함에서 곧장 쏟아져 나왔다. 의라왕의 중군이 있던 곳으로 일만의 기병이 돌진해오고 있었다.

속았다—

한성백제군이 아니었다. 대륙백제에서 나주벌로 그리고 대해부가 죽고 나자 그중에서도 경험 많은 정예병들을 중심으로 근초고 군대가 별도로 편성되었다. 별동대가 한성백제군으로 위장해서 혼슈 남서부의 광도(廣島)의 삼각주 포구로 무혈입성해서 돌진하고 있었던 것이다.

진격이다—

그 소식을 받고 여구의 부대도 출정했다. 기병을 중심으로 속도전이 펼쳐졌다. 일만의 기병이 양측면에서 함께 적을 공격하기로 이미 약속이 되어 있었다. 빛 연락망은 한낮에 그 효과가 컸다. 곧 서로 만날 수 있었다.

여구의 군대들이 진격해왔다. 그 소식을 듣는 순간, 의라왕은 혼이 달아나 버렸다. 사만의 병사 중에 기병이 얼마 안 되었다. 여구 본대의 기병은 일만이 넘어 보였다. 보병도 오만은 되어 보였다. 한성백제에서 온다던 상륙함에서 야마다의 상륙경기갑병들이 상륙해 돌진하고 있었다. 벌써 또 다른 측면에서는 일만의 기병이 공격하고 있었다.

다급한 그때에 대화성(大和城)에서 전갈이 왔다. 대화성에 은자(隱者)들이 습격을 해왔다는 것이다. 대화성에 있던 의라왕의 부인들과 어린 자식들이 모두 인질(人質)이 되기 전에 자결했다고 한다. 이제 남은 것은 의라왕의 결단뿐이었다. 의라왕은 포기해야 했다. 그리고 그 길로 도주하기로 했다.

십만이 넘었던 병사 중에서 의라왕과 함께 열도의 본토 북쪽 산맥을 넘은 것은 채 구천이 되지 않았다. 대패 중의 참패였다. 다시 전열을 가다듬고 전세를 회복하기가 쉽지 않을 상황이었다. 북쪽 산맥이 근초고 군대의 진출을 막고 있었다. 의라왕이 산성문을 굳게 닫고 화친을 청했다.

대화성에 들어갔다—

연희여왕은 야마다를 떠나 본토 대화성(大和城)에 입성했다. 아비 대해부가 그리도 꿈꾸던 나라를 세울 수 있었다. 대화성에서 열도의 영역을 재편했다. 야마다 여왕의 친정체제를 구축했다. 연희는 이제 비로소 열도를 지배하는 중심국 여왕이 되었다. 연희는 여구에게 새로운 나라 이름을 정해달라고 했다.

배달환국(倍達桓國)을 풀었다. 밝달을 계승한 백제와 환국. 그 환국(桓國)에서 환(桓)자를 파하여 풀었다. 일(一)… 일(日)… 본(本)이다. 태양이다. 본심본(本心本) 태양(太陽) 앙명(昻明)이 그것이었다. 하나의 일본(日本). 통일된 열도를 상징하게 했다. 백제일본대화(百濟日本大和). 백제의 일본 대화 정부가 탄생하게 되었다. 첫 여황을 두었다. 황제(皇帝)다. 밝달, 즉 백제를 떠받드는 왕을 뜻하는 황(皇)을 사용하여 비미호 여황(女皇)으로 했다. 연희여왕이 백제 일본 대화(百濟日本大和) 여황(女皇)이 되었다. 천인(天人) 대해부가 꿈꾸던 그 나라였다. 여구는 초고대왕(肖古大王)으로 추대되었다. 그렇게 이름을 정하고 이제 한성백제 계왕 설거를 무너뜨리고 대백제국 비류왕의 적통을 잇기로 했다.

야마다의 대승―

충격이 컸다. 한성백제 계왕 설거는 물론 귀족들과 중신들조차 믿기지 않는 일이었다. 고구려, 가야, 신라 연합의 부여계 전쟁영웅 의라왕이 대패했다. 의라왕은 계왕 설거를 죽도록 미워했다. 자신을 속였다고 생각한 것이다. 그것이 빌미가 되었다.

한성백제에서 대대적인 숙청이 예고되었다.

"아직도 모르겠나? 증거가 없으면 빌미라도 만들어야지?"
"...!"

계왕 설거는 흑천주 서위를 다그쳤다. 빌미를 만들어라. 한성
백제의 귀족들을 옥죄고 신궁주 진하연의 내통에 대한 증거를
찾아라. 계왕은 그런 사람이다. 자신의 탓이 아니었다. 모두 다
남 탓이다. 자신이 야마다를 정벌하러 갔다가 작은 섬 하나를
겨우 치고 도망쳐 왔다. 그것은 귀족 탓이다. 이제 열도에 백제
일본국 대화 정부가 세워지고 그 여황으로 여구의 열도 부인인
연희가 올랐다. 여구는 백제 초고대왕으로 추대되었다. 초고왕
의 후예. 비류계 초고왕의 적통임을 알리면서 계왕에게 도전하
기 시작한 것이다. 여구는 비류왕의 아들이다. 이것이 한성백제
에 파다해지고 있었다. 문제는 그 말의 근원지가 신궁(神宮)이
라는 점이다. 밝달의 대군장(大君長)이 나온다. 얘기는 진작 있
었다. 그런데 그 얘기가 하필 근초고가 백제의 왕을 자칭(自稱)
하는 이때에 더 확산하고 있는 것이다.

"신궁주는 어찌 생각하오?"
"무엇을 말입니까?"

신궁주 진하연은 일본백제 대화 정부의 출현이 계왕 설거의 심기를 거스르고 있다고 생각했다. 천제 준비를 대대적으로 하는 과정에서 문제가 계속 발생했다. 대천관 신녀는 신궁주 진하연에게 대천관 후계 문제를 매듭짓고 천제를 지내라고 했다. 그것이 방도였다.

"그럼 대천관 신녀가 뽑히면 달라진다고 합디까?"
"백제 부흥의 그날이 온다고 했습니다."
"그래요?"

백제부흥의 날이 온다? 그것은 신탁이었다. 대천관 신녀를 뽑기 위해 일곱 명의 천관 신녀를 선발해놓고도 아직 본선을 치르지 못했다. 그 선발전에서 비류왕 여호기가 살아 있었다는 것을 알았다. 계왕 설거는 그 말도 일리가 있다고 생각했다. 일곱 신녀를 불렀다. 문제는 대유현이었다. 어미가 열도의 여황(女皇)이 되었다. 그래서 신궁주는 몸이 아프다는 핑계를 대고 대유현을 열도로 보내려 했다.

여섯이다―

원래 일곱이 아니었나? 계왕의 눈썰미와 기억이 대유현의 길을 막았다.

"몸이 아픕니다."

"신녀니 당연하지 않은가? 아플 것이야. 그래야 더 신통이 강해지는 것 아닌가. 그런데 신궁주는 그 아이를 열도로 보내려 하니… 그 이유가 궁금하구려!"

계왕은 남 탓에 능한 만큼 눈치가 빨랐다. 신궁주 진하연이 고마성을 떠나서 신궁으로 돌아왔을 때, 신궁 주변의 호위 경비가 전에 없이 강화되어 있었다.

"누구냐? 누가 이리 시켰느냐?"

"왕께서 열도의 간자들이 침범할 수 있다고 이리 명하셨습니다."

열도의 간자들이 침입한다고 했다. 그리 말했다면… 열도와 신궁과의 관계를 다 눈치채고 있다는 뜻이었다. 그리고 흑천주 서위가 그 경호 책임자를 불렀다. 일곱 신녀를 보았다. 거기서 대유현도 보았다. 저절로 미소가 지어졌다. 연희공주의 딸. 지금은 백제 일본국 대화여황의 딸이 거기 있었다. 가장 큰 인질이 신궁에 있었다.

"진하연의 의도를 알아내거라!"
"내신좌평 진의, 그 명을 받사옵니다."

　진의(眞義)는 진하연과 가깝다. 진의에게 계왕 설거는 진하연의 의도를 알아내라 했다. 진하연이 수상하다는 것이다. 왜 그런가. 어미의 동생인데 왜 내게 알아내라고 이러는가. 하여튼 진의는 그 이유를 알아야 했다. 열도의 근초고 여구에게는 연희라는 여황(女皇)과 딸들과 아들도 있다. 그 이유야 어떻든 계왕은 신궁주 진하연이 자신을 배신한 이유를 알고 싶었다. 배신. 그것이 계왕 설거를 분노하게 했다.

　피를 말려 죽이리라—

　내 기어코 그렇게 하고야 말겠다. 계왕 설거의 눈빛이 그 어느 때보다도 잔인해졌다. 누이 같은 이모. 친구와 연인 같던 진하연이 자신을 배신한 것이다. 그 이유를 알아 낼 것이다. 그리고 새로운 대천관 신녀를 맞이하는 대로 즉시 죽이리라. 갈기갈기 찢어 죽일 것이다. 진하연의 본뜻을 진의(眞義)더러 알아 오라고 했다.

"아마도 내신좌평께서도… 의심을 받고 계신 가 봅니다."

"나오면서 그리 생각했습니다."

진의는 사사롭게는 형부가 된다. 진하연은 그런 사람에게 계왕이 본뜻을 알아오라는 것에서 진의(眞義)마저 의심받고 있다는 것을 알아챘다. 계왕은 그렇게 한성백제를 옥죄고 있었다.

"뭐라? 백제 일본국 대화 비미호 여황의 딸이라?"

"예. 그렇습니다. 틀림없습니다."

"틀림이 없다? 그 딸을 신궁주 진하연이 데리고 있다? 왜?"

"신궁주는 열도에서 연희여황과 여구와 아주 가깝게 지냈습니다. 더욱이 지난 대륙백제 태사자로 여구와 신궁주가 함께 갔다 왔으니…"

"잠깐, 그 기간이 얼마나 되었나? 무슨 일이 있었는지 알아보라!"

계왕은 아차 싶었다. 몇 년을 함께 했다. 선남선녀가. 좋아하던 남녀가 이국 저 만 리 땅에서 함께 있었다. 뒷조사를 시켰다.

아니나 다를까-

아이가 있었다. 그 아이 지금 여구 곁에서 비미호 여황(女皇)
이 기르고 있었다. 귀류라고 했다. 깜찍하게 속이고 있었다. 모
용황 대칸이 함께 혼례도 치러주었다고 했다.

진처(眞妻)는-

진하연이다. 여구를 잡아챌 미끼가 있었다. 그 미끼. 실상은
아주 오래전부터 계왕이 탐내던 여인이 아닌가. 그런데 그 여
인. 비록 어미의 동생이어서 어찌 못했다. 그런 진하연이 자신
의 최대 정적의 여자가 되었다. 왕비가의 제일 지녀. 그녀를 확
실한 증거 없이 어찌하기란 쉽지 않다. 아이는 열도에 있었다.
서서히 사냥해야 했다. 토끼를 잡기 위해서도 호랑이는 전력을
기울인다. 이 사냥이 계왕 설거의 입맛에는 딱 맞았다.

천제를 올립시다-

차기 대천관 신녀를 뽑고 바로 천제를 지내자고 했다. 한성백
제의 귀족들에게도 참관을 허락했다. 그 안에서 대천관 신녀를
뽑으면서 서서히 진하연의 숨통을 죄어버릴 생각이었다. 피를

말릴 생각이었다.

계왕이 문제를 냈다. 그 문제를 보고 신궁주 진하연은 숨이 막혔다. 자신과 대유현을 겨냥한 문제였다. 놀라서 물어보았다.

"이것이 문제입니까?"
"어떻습니까? 신궁주 생각에는 어느 것이 낫습니까? 하나는 너희 일곱 중에 누가 신분이 제일 높으냐? 아니면, 다른 문제로 누가 신궁에서 가장 부정한 여인인가? 이 두 문제, 재미있지 않습니까?"

계왕은 진하연과 일곱 동녀 중 한 아이, 대유현을 겨냥하고 말했다. 진하연은 심장이 떨어지는 줄 알았다. 표정을 흩뜨릴 수 없었다. 계왕 설거가 빤히 쳐다보고 있었다. 둘 중의 하나를 선택하라고 했다. 그리고 이 첫 문제를 신궁주에게 먼저 고르라고 했다. 어느 것을 낼까? 아직 마음의 결정을 못 내렸다고 했다. 신궁주는 고민에 빠진다. 누가 신분이 제일 높을까. 대유현이다. 부정한 여인은 바로 자신이다. 둘 중 하나를 고르라는 얘기였다. 하나를 골라서 그 이유를 캐겠다는 뜻이 숨겨져 있었다.

"어느 것이 낫겠습니까?"

"할 수 있다면…"

"할 수 있다면?"

"후자입니다."

후자라. 연희여황의 딸을 살리고 자신이 목숨을 건다? 그런 생각이었다. 할 수 없었다. 그렇게라도 해야 했다.

"그리할 이유가 있습니까?"

"예?"

"아, 아닙니다. 신궁주의 뜻이 가련해서요."

그렇게 계왕은 신궁주 진하연의 피를 말리고 있었다. 대유현을 피해 자신의 문제를 꺼냈지만 이를 극복할 방법이 없었다. 대천관 신녀에게 이를 알려야 했다. 급히 서둘러 신궁 별채에 있던 대천관 신녀를 만났다.

"잘하셨습니다. 그리하시길 잘했습니다."

"그럴 수밖에 없었습니다. 어미의 마음이 그리하게 했습니다. 대유현도 제 자식입니다."

그런 마음이었다. 어미의 마음. 지금 대유현에게는 자신이 어미다. 자신의 아들 귀류가 열도 여황 연희의 아들이듯 그래야 했다. 자식을 위해 어미의 허물이 열리고 어미가 죽음을 맞이해도 그리해야 했다. 진하연은 이후가 문제였다. 이제 신궁은 가장 위험한 곳이 되었다. 이미 계왕 설거가 알고 있었다.

"어찌해야 합니까?"

"어찌할 필요가 있겠습니까? 그리 올 것입니다. 그렇게 때때로 선택하게 할 것입니다. 그 선택할 문제를 다 알고 하는 것이 아닙니다. 단지 그렇게 하시면 되는 겁니다. 바르게 선택하면 됩니다. 그 바른 선택이 새로운 운명을 만드는 것입니다."

대천관 신녀는 그런 것이라고 인생의 끝자락에서 느끼고 있었다. 하늘의 뜻을 살핀다고 그것을 알았다고 다가 아니었다. 알았다고 하는 그 순간, 그것에 연이어 있는 자신의 뜻이 개입되면서 하늘의 뜻과 다르게 벌어지는 일들을 겪었다. 그러나 하늘은 언제나 자연 그대로의 법칙으로 갈 뿐이었다. 크게 보면 그리됐다. 그런데 인간이 나서서… 하늘이 어떠네! 떠들다가. 그렇게 하늘에 매달려… 결국은 하늘 뜻을 자연에 속한 풀뿌리보다도 못하게 해석한 꼴이 된다. 하늘이 언제 인간에게 해석해달라고 했는가. 저절로 그리될 것인데… 제 마음처럼. 그 마음의 크기처럼. 크기가 다른 사람의 역할처럼 그리될 것인데. 결국, 그리될 것인데… 자기 자신 속에 있는 길은 보지 못하고 애써 하늘에서 그 길을 보려 한다. 그 길, 하늘에 없다. 하늘에 없고 하늘을 담은 자신의 마음속에 있다. 늙은 대천관 신녀는 하늘이 진하연을 자기가 보고 있는 것처럼 예쁘게 볼 것이라 믿는다.

경합이 시작됐다―

계왕이 문제를 냈다. 누가 가장 부정한 것이냐. 신궁에서. 그리 묻고 계왕은 신궁주를 쳐다보았다. 계왕을 따라서 귀족들이 신궁주 진하연을 보았다. 대천관 신녀가 미소를 지어 그런 진하연을 위로 했다.

문제를 받자마자―

아이들이 하나 둘 답을 적어서 신궁주에게 왔다. 그동안 일곱 동녀는 글을 배웠다. 그 글. 읽는 진하연의 표정이 놀람이다. 신궁에서 가장 부정한 자는 바로 자신이어야 했다. 그런데 아니었다.

일곱 중의 일곱―

늙은 대천관 신녀 진혜를 꼽았다. 일곱 모두 대천관 신녀였다. 왜 그런가? 온 한성백제의 귀족들과 중신들이 의아해졌다. 거기 계왕은 더더욱 놀랐다. 일곱 중의 일곱. 경합이 되질 않았다. 그러나 그 이유는 물을 수도 아니 물을 수도 없었다.

가장 부정한 여인은-

하늘의 뜻을 가장 많이 어긴 사람이다. 이렇게 대천관 신녀는 가르쳤다. 어린 신녀들에게. 그리고 매일 한탄했다. 내가 가장 부정한 여인이다. 하늘의 뜻을 저버린 여인이다. 사람들의 부정은 도덕에 있고 하늘의 부정은 도리(道理)에 있다. 하늘의 법칙도 어겼다. 너희 같은 귀한 아이를 갖지 못했다. 부부의 연도 못 맺었다. 천륜인 어미와 아비도 저버렸다. 그리고 하늘의 뜻을 팔아 살았다. 누구를 위해 무엇을 했느냐? 대천관 신녀는 백제를 위해, 왕들을 위해 일했다. 그것이 아니었다. 그 백제는 진정한 백제가 아니었다. 그 왕들은 진정한 왕이 아니었다. 왕(王), 하늘과 땅과 거기 사람들을 연결한 자다. 지위가 왕이어서 왕인가? 아니다. 그래서 대천관 신녀는 평생 부정을 했다고 어린 신녀들에게 가르쳤다. 그 말에 진심(眞心)이 있었다. 아이들은 그 말이 아닌 그 마음을 이해했다.

가장 부정한 것이 가장 깨끗한 척한 것입니다—

신궁(神宮)은 그런 곳입니다. 가장 낮으면서도 가장 더러운 곳이어야 합니다. 그래야 세상의 아픔과 힘든 것을 풀어낼 수 있습니다. 가장 낮은 곳에 물이 고입니다. 물은 그렇듯 가장 낮은 곳으로 모입니다. 그 낮음에 비밀이 있습니다. 대천관 신녀의 말뜻은 경합을 무산시켰으며 한성백제 계왕 설거를 미궁(迷宮)으로 빠뜨렸다.

"왜 가장 부정한 것입니까?"

"저로 말미암아 전쟁이 나지요. 사람들이 고통을 받지요. 괴로워합니다. 비가 오고 가뭄이 드는 것을 못 챙기니… 그런 못남이 없지요. 괜히 하늘만 욕먹게 합니다. 그런데 아니 부정할 수 없지요. 그 어린 신녀들이 그것을 간파한 것입니다. 그러니다 맞을 수밖에요."

"그럼 신궁의 주인이 가장 부정한 자이어야 한다는 것입니까?"

"하늘의 뜻이 그러합니다. 제대로 못 하는 것이 그만큼 많다는 뜻입니다. 항상 자신을… 신녀는 바르게 해야 하늘의 뜻을 바로 볼 수 있다고 그리하는 것입니다."

계왕은 대천관 신녀의 설명을 듣고서도 말이 안 된다고 생각
했다. 해석의 차이였다. 진하연은 우문현답(愚問賢答)을 보았다.
대천관 신녀의 해석을 들으면서 더 눈이 맑아지는 느낌이었다.
그렇게 한 위기가 넘어갔다. 이제 계왕 설거의 행동이 더 급해
질 것이다. 조급하면 계왕은 잔인해진다. 어떤 위기가 올까. 진
하연의 잠 못 드는 밤은 길어진다.

本 그 근본
心 마음의
本 그 근본은
太 아주 큰
陽 빛으로
昂 밝고도
明 밝음이다

人 사람
中 가운데

陽 빛으로

일본무존(日本武尊)이 이겼다, 열도 정복의 첫발이 그럴듯했
다. 열도 사람들은 근초고 여구를 절대무존으로 불렀다.

이제 한성백제다—

뜨거운 열도의 전쟁에서 태양으로 이겼다. 이제 비류왕 여호
기의 한(恨)을 풀어야 했다. 일단 위험한 지역에 있는 진하연과
대유현을 돌아오게 해야 했다. 그러나 쉬운 일이 아니었다. 근
초고 여구와 연희여황의 딸 유현은 집중 감시의 대상이 되어버

렸다. 진하연도 고마궁을 출입하고는 있지만 자유롭지 못했다. 신궁의 경비가 너무 삼엄해졌다. 신궁이 볼모가 되었다.

일단—

이 상태에서 정벌군을 이끌어야 했다. 열도에서의 전쟁이 여름이라면 한성백제에서의 전쟁은 가을 추수가 끝난 직후로 계획했다. 그래야 백성의 고통이 덜했다. 열도의 병사들을 서서히 나주벌로 옮겼다. 다행히 나주벌에 가 있던 열도의 농부들은 태풍과 홍수로 힘들었던 나주벌에 큰 도움이 되었다. 열도의 전쟁이 있는 동안 나주벌의 근초고 여구의 군대는 빈 껍데기였다. 열도의 농민들과 나주벌의 병사가 바뀐 것이다. 그러는 동안 나주벌에는 태풍과 홍수가 휩쓸었다. 천만다행으로 열도에서 건너온 이만 이상의 농부들이 있었다. 부역에는 병사들보다는 농부가 나았다. 그 사이 열도에서는 나주벌에서 온 기병대가 대승을 이끌고 있었던 것이다. 허허실실(虛虛實實)이다. 병법(兵法)은 궤도(詭道)다. 속이는 것을 꺼리지 않는다. 있는 것을 없는 것으로, 없는 것을 있는 것으로 가장(假裝)하는 것은 적을 이기기 위한 하나의 방법이다. 상대를 현혹함으로써 얻는 것은 무엇인가? 바로 승리(勝利)다. 그 승리를 얻기 위해 모험을 한다. 태풍은 천재(天災)다. 홍수(洪水)도 그렇다. 그러나 인간의 기운

(氣運)은 그 화(禍)조차도 복(福)으로 만든다.

"운이 좋았습니다."

"그렇지. 운이 좋았지. 그러나 그 운이 그냥 생긴 것은 아니다."

"다른 것이 있습니까?"

"아까 말한 운(運)이란 하늘만 바라보는 것을 말한다. 내가 말한 운(運)은 그것만이 아니다. 진인사대천명(盡人事待天命)이다. 하늘의 명을 기다리는 것이다. 진력(盡力)을 다하고 그것을 맡겨야 한다."

"물론입니다. 그러나 누구나 진력을 다하지 않겠습니까?"

"그래서 이끄는 자가 중요하다. 누가 이끄느냐에 의해 세상이 달라지는 것이다."

"원칙을 지키고 정심(正心)으로 해야 한다! 이것입니까? 그래야 돕는다?"

"원칙(原則)이 무엇이더냐. 법칙(法則)이 무엇이더냐?"

귀류는 아비 근초고 여구의 말에 다른 생각이 들었다. 매이지 않는다. 어떤 법칙과 원칙. 그것에 매이지 않는다. 다만 정심(正心)으로 간다. 그 본을 지키면 세상의 법칙과 도리에서 초연할 수 있다. 이런 뜻이라 생각했다.

"물은 위에서 아래로 흐르느냐?"

"예."

"항상 그러더냐?"

"예."

"산을 보아라. 숲을 보아라. 나무를 보아라. 나무의 속을 자세히 보아라… 물은 위에서 아래로 흐르더냐?"

"…?"

"물은 정말 항상 아래로 흐르더냐?"

"…!"

그 이치가 법칙의 테두리에 가두어진 귀류를 자유롭게 했다.

"전쟁이란 그런 것이다. 본디 전쟁을 왜 하느냐? 해결할 방법이 그것밖에 없을 때 해야 한다. 때로는 다시 전쟁하지 않게 하기 위해서도 한다. 전쟁은 곧 평화를 위해서 한다. 그래야 한다. 내 울타리를 지키기 위해서 한다. 그 울타리. 내가 먹여 살릴 내 백성의 땅이다. 땅보다는 그 백성이 안심하고 살 수 있는 세상이다. 그 세상을 만들기 위해, 지키기 위해 전쟁을 한다. 그래야 한다. 그것이 바른 정심(正心)이다. 저 하늘도 그리하라고 한다. 하늘이 주는 재앙을 이기라 한다. 옛 우리 조상님들은 그리했다. 이겨왔다. 그렇게 무리를 지켜왔다."

배달환국(倍達桓國)의 임금님들이 환웅(桓雄)이다. 큰 곰 별자리의 기운을 받은 임금님들은 싸웠다. 하늘과 싸웠다. 더 큰 하늘의 뜻을 이루고자 하늘이 내는 재해(災害)들을 이겨냈다. 그 이긴 곳에 인간의 광명세계가 펼쳐졌다. 그 정복은 인간이 아니었다. 자연이었다. 자연에 당하는 것이 아니라 자연을 자연스럽게 이기게 하는 것. 그것이었다. 그것이 바로 소서노 모태후의 큰 뜻이었고 비기(秘記)였다. 근초고 여구는 단군총서에서 그것을 깨달았다. 그리고 전쟁에 응용한 것이다.

전쟁은 천재지변을 다스리는 것과 같다―

성난 파도. 노도(怒濤)처럼 밀려오는 적군을 마주 상대하면 내 군사도 적도 죽는다. 최소의 희생이야말로 최대의 성과다. 최소의 희생을 얻기 위해서는 최대로 준비해야 한다. 그리고 그 죽음의 전쟁에서 아군도 적군도 살리고자 한다. 그러면 최소를 희생시키고 최대의 성과를 얻을 것이다. 그것이 대승(大勝)하는 원리(原理)다.

"적을 소중히 여겨라. 귀하게 여겨라. 그러면 이길 수 있다."

"어찌 적을 소중히 여기라 하십니까?"

지난날 여구는 그렇게 근자부 대선사에게 물었다. 근자부는 적이 아직도 네 안에서 적이구나! 하셨다. 그 말을 듣고 한참을 공부했다. 도무지 모를 이야기였다. 그 이야기가 이제야 깨달아졌다. 야마다 대화전쟁에서의 승리 과정에서 귀류에게 전쟁 승리의 방법을 가르쳐주기 위해 설명하면서 깨달았다.

"적은 귀한 것이다."
"예? 어찌 적이 귀한 것입니까?"
"적이 없으면 왕도 없다. 나도 없다. 그 적은 바로 나 자신을 만드는 것이다. 상대가 바로 나를, 내 역할을 만든다."

그래서 적을 소중히 하란다. 반면(反面) 교사(教師). 적은 내 스승이 된다. 그런 마음으로 그 적을 보고 그 적을 소중히 생각하여 작전(作戰)을 짜야 한다. 적의 심리를 완전히 읽게 되었을 때 비로소 전쟁에서 승리할 수 있다. 이길 수 있다. 최고의 승리가 얻어진다.

야마다 대화전쟁에서도 그렇게 했다—

의라왕에게 한성백제 지원군을 보냈다. 고구려, 신라, 가야 세력에 한성백제까지. 필승의 상황이다. 규슈와 혼슈. 그 사이 바닷길에 결국 상륙부대가 도하(渡河)를 할 수밖에 없게 했다. 절대 유리한 상황. 수적인 우세가 급하게 만들었다. 의라왕의 자만은 일시에 규슈를 정복하고 싶어 할 것이다. 그리고 그것을 무력화시키기 위해 새로운 자연이 동원된다. 하늘의 군대. 빛의 군대가 그 상륙선들을 다 불태웠다. 그 공포가, 삼만 명이 보았으니… 곧 전쟁은 끝난다. 그 공포. 다시는 야마다를 공격할 생각조차 못하게 할 것이다. 그래야 근초고의 군대가 자유로워진다. 열도를 떠나도 열도가 안전해진다. 적을 그래서 일부러 놔주었다. 의라왕은 근초고 여구에게 다시는 전쟁할 생각을 못한다. 그런 상대는 살려 놓는 것이 가장 좋았다. 다른 사람이 대륙에서 온다면 다시 전쟁 준비를 할 것이다. 그러면 근초고 여구의 군대도 다시 열도로 와야 한다. 그러나 가장 유리한 상태에서 가장 불리한 야마다에 당했다. 그 두려운 군대, 그 이름. 근초고 군대의 깃발이 대화성에 휘날리는 동안, 의라왕은 침범할 엄두를 내지 못하게 되는 것이다.

일본무존-

그가 나주벌에 왔다. 가을 추수가 한창인 그즈음에 태풍과 홍수를 이기고 가을걷이에 흥겨운 백성을 위문했다. 멀리 열도에서 대승을 거둔 근초고의 이만의 기병부대도 금성을 지나 주류성을 향해 진군했다. 거기에 이미 일만의 병사들이 진영을 꾸리고 있었다. 비류왕 여호기를 구할 때 구축해놓은 진지(陣地). 그곳에 도착했다. 이제 한성백제까지 기병은 닷새, 보병은 십일이면 도달할 거리였다. 그 기점에 항구를 만들고 있었다. 광활한 평야지역에 큰 산이 있는 땅이었다. 거기 마한 천자의 뜻이 있었다. 이제 그때가 되었다.

내전이다─

추수가 끝난 열수 강변에서 각 지역의 상단들은 그런 생각을 하고 있었다. 위 세력은 한성백제로 들어오는 모든 해운 수송을 끊었다. 수군은 근초고 군대가 월등히 나았다. 그 수를 짐작할 수가 없었다.

크고 작은 배로 칠백 척, 수군─

함대를 편성했다. 그토록 고대하던 함선들이 만들어졌다. 기병 상륙함. 젊은 날 연희와 진하연 그리고 여구가 함께 만들던 그 상륙함이었다. 투석기도 설치했다. 이제 전혀 다른 새로운 해전이 시작될 것이다. 근초고 수군은 그렇게 새롭게 중무장하고 있었다.

나주벌에서 나는 좋은 진흙은 토기를 만드는데 아주 유용했다. 유화과(油火果) 화과탄(火果彈)을 생산하고 백성이 쓸 만한 토기를 다량으로 생산하게 했다. 좋은 토기가 아니어도 좋았다. 화과탄은 잘 깨져야 했다. 그래서 옹기 방식으로 만들어졌다. 파삭- 잘 깨지는 토기. 기름이 새어나오지 말아야 했다. 쓸 수 있는… 그러나 버릴 수도 있는… 쉽게 만들 수 있는 토기를 다량으로 만들라 했다. 막 쓸 수 있어야 했다. 빨리 만들 수 있어야 했다. 일손이 복잡하지 않아야 했다. 막 구운 토기는 그 토기대로 서민들에게도 유용하게 쓰일 것이다. 그 토기들은 서민들이 쓰는 생활 용기로 대량 생산되었다.

배를 만드는 곳은 마한(馬韓) 천자(天子)가 일러주었다. 그곳 해송이 특히 좋았다. 역시 마한의 천자가 작은 하늘 성이라 부를만했다. 주류성을 쌓게 했다. 그 과정에서 길쭉길쭉한 소나무를 보았다. 그 단단한 소나무 용골을 중심으로 삼나무와 편백을 써서 2층 누각과 바닥이 평평한 상륙함을 계속 만들고 있었다.

바다에서 나는 하얀 황금. 그 황금은 가뭄이 오면 더 실하게 잘 되는 것이다. 언젠가 어린 시절 가뭄으로 한성백제가 다 고생할 때 근초고 여구는 황금이 있는데… 소금을 더 많이 만들면 그것으로 무역하면 되는데… 바보들이다. 그렇게 얘기했었다. 그 소금을 만들 땅들을 찾았다. 그것을 지킬 성(城)을 쌓게 하고 소금을 만들라 했다. 해송으로는 배를 만들었다. 그것은 어린 시절부터 근초고가 꼭 해보고 싶은 일이었다. 열도의 전쟁 그 이전부터 나주벌에서 한성백제를 얻기 위해 오랜 준비를 하고 있었다.

여구—

새로운 백제의 초고대왕. 초고왕의 후예를 자청하고 근초고 여구가 한성백제를 포위했다. 나주벌에서 진격한 근초고 군대는 바다 쪽 마한의 남은 세력 일부를 흡수했다. 근초고의 전략은 간단했다. 먼저 투항하는 백성에게 먹을 것을 주었다. 그리고 군대가 그 백성을 지키려 했다. 그 군대는 군율(軍律)이 매우 엄격했다. 군영(軍營)을 반드시 지켰다. 백성이 먼저 움직였다. 그러면 먹을 것이 생겼다. 태풍과 홍수로 가을 농사를 망친 백성은 근초고 군대를 환영했다. 서부 해안가를 장악하고 있던 마한 잔존 세력들이 속속 근초고의 세력권으로 들어왔다. 이제 한성백제의 남부 바다와 인접한 마한 접경지역에 근초고 군대가 집결해 있었다. 한성백제 남부군은 비상이 걸린다. 무절의 군장이자 계왕의 심복이며 남부수비대 책임자 방추한(方抽汗)은 속속 한성백제 남부수비대의 위기 상황을 계왕 설거에게 보고했다.

근초고의 압박-

근초고 여구는 여수(餘水), 여목(餘木), 여화(餘火), 여토(餘土), 여금(餘金)의 군장들로 하여금 각기 다섯 곳을 확보하게 했다. 여수(餘水)는 수군으로 한성백제의 해상로를 완전히 포위했다. 열수를 진입하는 모든 상선을 검열케 했다. 삼백 척의 근초고 수군이 동원되었다.

완벽하게 포위하라-

그 누구도 빠져나가지도 들어가지도 못하게 하라. 계왕 설거의 명령에 흑천주 서위는 신궁의 경비를 철통같이 했다. 아무나 신궁을 드나들 수도 없었다. 그리고 계왕은 근초고에게 밀서를 전하라 했다. 다음 날 흑천 서위가 가기로 했다.

보았다-

그녀다. 흑천주 서위는 안다. 그녀가 누구인지. 그녀가 그토
록 애타게 연민하던 딸. 현녀(玄女)의 딸인 대천관 신녀였다.
그 신녀가 신궁 별채에 있었다. 병든 모습이 완연했다. 흑천 서
위는 현녀를 모실 때처럼 그때 그 시절로 돌아가 있었다.

"오랜만입니다."
"누구십니까?"

나이가 들어 보이는 사내가 자신에게 공대했다. 대천관 신녀
진혜는 자신을 알고 있는 그 사내, 흑천주라고 불리는 사내를
보았다. 언젠가 본 적이 있다고 생각했다.

"어머니가 많이 보고 싶어 했습니다."
"어… 어머니라 했습니까?"
"그분… 현녀님을 모셨습니다. 대천관 신녀의 어머니는 백제
를 떠나 흑천의 후계자가 되셨습니다."
"지금은…"
"돌아가셨습니다. 흑천의 비기를 얻지 못했습니다. 흑천 신공
또한 포기하셨습니다."

돌아가셨구나. 그래서 흑천주가 다른 사람이 되었구나. 한 번 본 듯 했다. 대천관 신녀는 언젠가 자신을 찾아온 그녀를 기억했다. 그녀. 누군지 모르지만, 자신을 보면서 눈물을 짓던 바로 그녀가 어쩌면 흑천으로 비기(秘記)를 찾아 떠난 어미일지 모른다고 생각했었다. 그 현녀는 대천관 신녀를 가끔 몰래 훔쳐보았다. 흑천 신공으로 얼굴이 망가져서 알아보지 못했다. 어린 신녀가 무서워했었다. 그래서 흑천 신공을 멈췄다. 그 사실을 아는 사람은 흑천 서위뿐이었다. 그 흑천 서위가 보고 있는 사람은 현녀를 똑 닮게 늙은 대천관 신녀였다. 그녀가 병들어 있었다. 삶의 의욕이 없어 보였다.

"왜… 신공도… 다 포기하신 것입니까?"

"따님을 보기 위해서였습니다. 흑천 신공을 극성으로 익히려 하면 동남동녀(童男童女)가 필요합니다. 인성을 상실하기가 싫어서 그리하신다 하셨습니다."

"그랬군요…"

"미안합니다. 어머니를 지켜주지 못해서…"

그 얘기에서 대천관 신녀는 진심(眞心)을 읽었다. 그것. 희망이 있었다. 흑천 서위는 아직 인성이 남아 있었다. 그 비기를 얻지 못하면 흑천 신공은 악마 신공이 된다. 그 비기(秘記). 내용은 무엇인지 모르지만 그렇게 전해졌다. 흑천 서위는 비기를 찾기 전에 그 흑천 신공을 익히지 않을 생각이었다. 자신이 바로 동남동녀(童男童女)를 납치해 흑천주 우복에게 바치지 않았는가. 동정을 잃지 않는 아이들의 원기(元氣)를 흡입하는 요사스런 술법. 무예가인 흑천 서위는 싫었다. 자신도 그리되기 싫었다. 그것이 대천관 신녀에게 읽혔다.

"백제가 큰일입니다. 내전으로 많은 생명이 죽을 것입니다. 이 일을 막아야 합니다. 그리해야 하는 데, 저는 이리도 병들었습니다. 이제 곧 계왕 설거는 저와 신궁의 모든 식구를 처참하게 죽일 것입니다. 저는 압니다. 이를 풀 사람이 저밖에 없는 데… 제가 다시 죄를 짓습니다."

대천관 신녀는 신궁에서 가장 부정한 여인이 되었다. 그러나 흑천 서위는 안다. 현녀가 악마 신공을 익힐 수 없었던 까닭은 그 본(本)이 바른 사람이었다. 정심(正心)이 살아 있는 사람이었다. 아무리 근묵자흑(近墨者黑)이라고 해도. 먹물이 아무리 진하여도 전체를 다 검게 하지는 않는다. 그 마음. 정심(正心)이 있으면 그리 못한다. 그것이 흑천 서위를 안타깝게 했다.

흑천 서위는 밤새 잠을 못 이뤘다. 현녀. 자신이 사랑했던 현녀. 현녀는 여인이었고 누이였으며 어미였다. 그녀가 생각났다. 딸을 그리워하다가 죽었다. 죽은 그녀의 딸을 만나고 흑천 서위는 여강을 생각했다. 그 여강의 동생이 지금 한성백제를 포위하고 있다. 일대 내전을 불사하려고 한다. 그런데 문제가 생겼다. 흑천 서위는 안다. 계왕이 보내는 밀서. 그 내용은 귀류의 어머니 진하연. 여구의 진처(眞妻)와 연회여황과 여구의 딸인 대유현이 인질로 잡혀 있다는 사실을 알려주는 것이다. 아비인 비류왕 여호기를 구하러 사지(死地)에 뛰어든 여구다. 아내와 딸. 그 목숨이 한성백제 계왕 설거에게 있었다.

그것 또한 여구의 고민이다—

백성이 내전으로 입을 피해도 피해지만 더 큰 고민은 바로 진하연과 딸 대유현의 목숨이었다. 그 고민이 포위만 하게 하고 한발도 더 한성백제로 진입하지 못하게 한 것이다. 결계다. 그 결계를 어찌 풀어야 하는지가 고민이었다. 정보에 의하면 아직 정체가 완벽하게 탄로 난 것 같지는 않았다. 흑천 무사들이 신궁(神宮)을 호위하는 것을 빼고는 특별히 두 사람에게 위해(危害) 상황은 벌어진 것 같지는 않다는 전언이었다. 아직도 진하연은 신궁주로서 소임을 다하고 있었다. 대유현의 정체도 아직 밝혀진 것 같지는 않았다.

근초고 여구는 한 가지 더 모르고 있었다. 계왕 설거가 데리고 있는 또 하나의 인질이 있었다.

밀사—

흑천 서위였다. 원수. 그가 왔다. 계왕의 밀서를 가지고 왔다. 계왕의 밀서는 흑천 서위가 근초고 여구 앞에서 읽게 되어 있었다. 한성백제를 향한 근초고 부대의 근거지는 사방의 넓은 평야 지대와 내해(內海)를 바라보고 있는 주류산성에 있었다. 근초고 여구와 귀류 그리고 오행장(五行長), 단복과 초로도 있었다. 흑천 서위는 담담하게 근초고 여구를 보았다. 밀서를 꺼내기 전 둘은 서로 응시했다. 말은 없어도 그 뜻은 전달되었다.

'훌륭하게 컸다.'
'당신을 보며, 원수를 갚고자 했다. 이제 곧 갚아준다.'
'여강도 이런 모습일 수 있었는데…'

여구를 보니까 여강이 생각났다. 망아. 그 이름. 그 아이. 자신의 운명과 닮아서 정(情)을 주지 않으려 하다가 더 깊게 정(情)을 주고야 말았다. 그 아이의 아우. 자신이 원수인 그 아이가 바로 여기 있다. 밀봉되었던 밀서를 풀었다. 얇은 명주지(明紬紙)에 적혀 있었다. 읽으려고 보던 흑천주 서위는 지그시 눈을 감았다. 역시 그 내용이다.

인질이 셋 있다-

하나는 너와 비미호 여황의 딸 유현이고, 또 하나는 네 아들 귀류의 어미다. 그리고 또 하나는 네가 직접 보아야 할 것이다. 이렇게 셋이 있다. 한성백제로 군대가 오면 즉시 이 세상에서 가장 처참하게 죽일 것이다. 그렇게 흑천 서위는 읽었다.

다 알고 있었구나-

여구는 담담히 그리 생각했다. 귀류를 보았다. 놀라지 마라. 아들아. 그리 말하고 있었다. 흑천주 서위 또한 귀류를 보았다. 귀류는 애써 눈을 부라리고 있었다. 전혀 놀라지 않는 것처럼 미동도 하지 않았다. 그리고 흑천주 서위를 노려보고 있었다. 그런 귀류를 보며 흑천주 서위는 어린놈이 참 대단하다고 생각했다. 어미가 인질로 잡혀 있다. 그리고 적이 이 세상에서 가장 처참하게 죽인다고 했다. 그런데도 표정에 변화가 없다. 그것을 참고 있다. 그 모습. 어린 은구. 여구의 모습이 보였다. 그 시절의 은구가 그러는 모습을 보면서 흑천 서위는 소름이 돋았었다. 지금 또 그런 아이를 보고 있었다. 귀류는 강하게 자라고 있었다.

초라하다–

흑천주 서위는 그런 밀서를 읽어야 하는 자신이 초라하다고 느껴졌다. 근초고 여구 앞에서 자신을 그렇게 초라하게 만든 계왕 설거가 이해되지 않았다. 계왕의 수가 뻔했다.

그것뿐인가–

누가 백제의 진정한 주인인지 겨누어 보자고 했다. 대방 백제왕 설리와 일본열도 근초고 여구, 한성백제의 계왕인 설거 자신. 그렇게 셋이 하늘과 백제귀족 대화백회의에서 추인을 받자고 했다. 그 방법과 일시는 자신이 제시하리라고 했다. 이를 받지 아니하면 여구를 백제의 반도로 공표하고 내전(內戰)을 치를 것이라 했다. 물론 인질들은 이 세상에서 가장 처참하게 죽일 것이다.

"말도 안 된다."

단복이 나섰다. 근초고 여구가 손짓했다. 나서지 마라. 그리고 말했다. 제안을 해보라고 했다. 받아들일 수도 있다고 전하라 했다. 지금은 인질이 더 중요했다.

本 그 근본
心 마음의
本 그 근본은
太 아주 큰
陽 빛으로
昻 밝고도
明 밝음이다

人 사람
中 가운데

昴 밝고도

어둡다. 그런 곳에 있어야 했다. 깜깜한 그곳에서 여섯 아이와 진하연 그리고 자신이 있다. 유현은 그 꿈을 꾸었다. 그리고 어떤 위기가 찾아오고 있음을 알고 있었다. 유현이 진하연에게 말했다. 목숨이나 부지하자고. 그 말에 진하연이 정말 그때가 시작되고 있음을 알았다.

이제 됐다―

흑천주 서위가 돌아와서 근초고 여구의 의견을 전달했다. 그리하겠다고 했다. 인질(人質)에 대한 얘기도 해주었다.

"또 하나가 더 있다."

"정말 있습니까?"

"네가 구해주지 않았느냐?"

"제가요?"

"그렇다. 네가 잡아왔다. 내가 왕자일 때 고하 소도를 습격하고 여인 하나가 잡혀왔다. 기억나느냐? 그 여인이 바로 죽은 여강 어미요, 여구의 젖어미다. 이제 기억하겠느냐?"

여강의 어미. 여구의 젖어미. 고하 소도. 흑천의 반도를 처단하기 위해 갔다. 거기서 처음 여구를 보았다. 그 반역도와 관계있는 것 같았다. 그 여인. 그렇다. 죽이지 않았다. 그 보따리. 아, 그랬구나. 그 여인이 있었구나. 흑천주 서위는 깜빡 잊고 있었다. 그 여인. 여구의 어미. 여구가 생모의 정체를 알기까지 어미로 알고 있었던 그 여인. 그 여인은 어디 있을까. 전혀 생각을 못했다.

"대천관 신녀도 몰랐을 것이야. 내가 그래서 그런 신녀를 잘안 따르지. 왜냐고? 한 치 자기 앞일도 모르는 것들… 그 여인이 바로 여구의 어미가 아닌가? 흑천도 그렇지 않은가. 하늘의 뜻은 무슨… 거기에서 뭘 받겠나? 뭐가 하늘의 뜻인가. 하늘… 그래 가뭄을 내는 것도 하늘이고 대홍수를 일으키는 것도 하늘이다. 하늘이 두려운 것이다. 그냥 무서운 것이다. 그러니 그저 따르자 한다. 그런데 무슨 천명(天命)인가. 그 천명은 하늘을 파는 것이다. 하늘을 팔아서 권력을 얻는 것이니… 절대 권력은 곧 하늘조차 움직인다. 알겠는가?"

계왕 설거는 거기까지 생각이 미쳤다. 이제 해야겠다고 생각했다. 흑천 서위가 물러나자 생각은 더욱 강해졌다. 자신의 아버지 분서왕도 비류왕 여호기도 흑천을 얻지 못했다. 그러나 자신은 흑천을 얻었다. 광명천이라는 섬의 씨를 말려버렸다. 흑천과 광명천 둘 다 자신이 얻은 것이다. 이것이 절대무왕이 될 사람의 자질이었다. 계왕 설거는 그 생각에 빠졌다.

하늘의 뜻을 만들 것이다―

신궁주 진하연은 계왕을 보기가 점점 두려워졌다. 계왕 설거는 이제 미쳐가고 있었다. 착각과 망상에 빠진 왕은 모두를 두렵게 한다. 계왕이 그랬다. 신궁주 진하연은 이제 일곱 중에서 하나, 대천관 신녀 후예를 뽑아야 했다.

"꼭 하나를 뽑아야 하는가? 하나보다는 일곱이 낫지? 안 그런가?"

"예? 그게 무슨 말씀이십니까? 이제까지 전통이 그랬고… 아닌 경우가 없었습니다."

"그래서 하는 말이지. 아닌 경우가 없으니… 그리 해보는 것도… 아니다. 내가 정하겠다. 곧 내가 정하지… 일곱을 다 대천관 신녀의 후계로 해라! 그렇게 정하겠다. 그리 신궁주께서는 준비하세요. 알겠습니까?"

자신이 뽑겠다고 했다. 문제는 대천관 신녀 후계로 일곱을 놓고 그래서 자신이 뽑는다고 했다. 대천관 신녀 후계를 뽑는 것인데… 뭔가 엉켰다. 준비하라고 한다. 그 준비. 대천관 신녀에게 물어보아야 했다.

"일곱을 다요?"

"예… 분명히 그리 말씀하셨습니다."

"허허. 욕심도 지나치군요. 화가 미칠 텐데…"

"예? 무슨 욕심입니까?"

"신궁주… 신궁주께서도 모르시는 왕실과 신궁만의 비밀이 있습니다. 대천관 신녀의 후계만이 알게 됩니다."

대천관 신녀 후계만이 알게 된다? 이게 무슨 뜻인가? 대천관 신녀는 조용히 눈과 입을 닫았다.

"그날이 언제라고 합니까?"
"내일이라고 했습니다."
"그래요? 내일이라… 빠르군요. 좋은 옷 한 벌을 급히 준비해 주시겠습니까? 제게 일이 생길 것 같습니다. 아주 좋은 일이…"

도무지 모를 소리였다. 좋은 옷 한 벌 해달라고 하니… 옷을 준비하고 있는데 별채에서 목욕물을 들이라고 했다. 대천관 신녀에게 무슨 일이 생길 것 같았다.

왕께서 행차하신다─

대천관 신녀의 후계를 내일 공표하시겠다고 했다. 그 준비에 여념이 없는데 급히 왕의 행차가 오늘 밤 신궁으로 향하고 있었다. 대천관 신녀의 후계들과 신궁주는 왕을 면담할 채비를 해라. 전갈이 급히 왔다. 왕은 고마성을 떠나 군사들과 함께 신궁으로 향했다. 신궁은 흑천의 호위 무사들은 물론 신궁의 호위 무사들 그리고 왕이 내린 병사들로 삼중(三重) 겹겹이 싸여 있었다.

대천관 신녀는 목욕 중이었다. 이제 나이 들어 늙은이가 되었다. 그런데 이런 일을 맞이할 줄이야. 신녀는 생각했다.

고이왕 때다ㅡ

대천관 신녀의 후계자가 되었다. 만인이 부러워했다. 신녀들의 수장으로써 이제 신궁(神宮)의 주인이 되는 것이었다. 전임 대천관 신녀가 없었다. 자신의 어미인 대천관 신녀가 백제의 전설적인 무인, 근자부와 사통하여 자신을 낳았다. 그리고 자신이 후계자가 된 바로 직후 사라졌다. 그러자 대천관 신녀는 자신을 가르쳐줄 대천관이 없게 되었다. 그래서 몰랐다. 대천관 신녀와 백제왕과의 비밀 거래가 무엇인지 몰랐다. 자신의 나이 열네 살, 고이왕과 단둘이 신궁(神宮)의 내실(內室) 깊은 곳, 그 화실(和室)에서 만났다. 아무도 없었다. 깊은 밤. 대천관 신녀 후계였던 자신과 백제 고이왕은 단둘이 하늘의 뜻을 물었었다. 그 일은 삼일이 꼬박 걸리는 일이었다. 일(一), 이(二), 삼(三). 하늘과 땅과 인간이 어우러지는 천지인(天地人) 대삼합(大三合)이 어우러지는 그 일을 사흘 동안 고이왕과 했다. 그리고 알았다. 더 나이를 들고서야 그 참뜻을 알았다. 백제 신녀는 백제왕과 함께 하늘을 본다. 그 일을 하지 않은 왕은 분서왕과 비류왕이었다. 분서왕과 비류왕은 자신을 범하지 않았다. 또 비류왕에게는 그 일을 가르쳐줄 사람도 없었다. 그런데 이제 계왕 설거가 하려고 한다. 설거는 누구한테서 알았을까?

보자고 했다—

대천관 신녀가 뵙기를 청한다고 했다. 그리고 대천관 신녀는 새 옷으로 갈아입었다. 그리고 벗어놓은 대천관 신녀 자신의 옷을 칼로 조각조각 냈다. 수십 조각을 내었다. 대천관 신녀의 문양이 뚜렷한 그 옷이 갈기갈기 찢어졌다. 그 옷을 한 항아리에 넣었다. 그 항아리를 가져다가 몸종 신녀에게 주었다.

"이것을 하수구 바닥에 깨서 버려라. 알겠느냐?"
"예…"
"반드시 그래야 한다. 아무도 몰래 그리 해야 한다. 알겠느냐?"
"예"
"절대 본 것을… 그리 한 것을 누구에게도 말하지 마라. 알겠느냐?"
"예… 그리하겠습니다."

추상(秋霜)같았다. 가을 찬 서리 바람처럼 매섭게 얘기하는 대천관 신녀의 서슬에 놀라 몸종 신녀는 고개를 끄덕거렸다.

신궁주 진하연을 불렀다. 일곱 대천관 후계자들이 내실 인근에 모여 있었다. 다들 긴장하고 불안한 모습이었다. 대천관 신녀는 조용히 신궁주 진하연에게 말했다.

이제 때가 되었습니다—

그리고 신궁주 진하연에게 귀엣말을 해주었다. 일곱 아이가 들으면 안 될 얘기였다. 신궁주는 대천관 신녀에게 고개를 끄덕였다.

"어찌 된 일이십니까?"
"대천관 전임자가 해야 할 일이 있기에… 반드시 그리해야 하기에 왔습니다."
"그렇군요. 그리하겠군요."

계왕은 술병을 들고 들어온 대천관 신녀를 보면서 그리 대답했다. 원래는 그리해야 한다고 자신도 생각했었다. 후계자가 하나라면 일러 주었겠지. 그런데 일곱이니… 더구나 신궁주까지 오라 했다. 늙은 대천관이 놀라서 뛰어나온 것이 당연하다고 생각했다. 이것도 재미있었다. 신궁을 범하는 일이니까. 계왕은 그리 생각했다. 신궁에 새로운 법도를 세우리라. 신통력이 있는 아이를 하늘만 보게 할 수는 없지 않은가. 그 비밀 거래를 시작하기 전 대천관 신녀의 얘기를 듣기로 했다.

"어찌 아셨습니까? 누구에게서 들으셨습니까?"

"하하하! 절대 왕인 제가 모를 리 있겠습니까? 아니 몰라도 그렇지 그리하지 않겠습니까? 삼일 밤낮을 함께 있는데 그리 안 되겠습니까?"

"아버지께서 그러셨습니다. 왕이 되어서 대천관 신녀를 확실하게 잡아야 한다. 내 사람이 아니면 하늘도 너의 것이 안 된다. 그 말에 알았습니다. 그 대천관 후계자와 함께 하늘 문을 연다는 그 신궁의 제사가 무슨 뜻인지…

"분서왕이 그러셨습니까?"

아니었다. 그 아비가 아니다. 분서왕이 아닌 흑천주 우복이 그랬다. 우복은 그 비밀을 스스로 깨달았다고 했다. 계왕이 잠시 뜸을 들였다. 우복이 생각나자 심기가 흐트러졌다.

"그러셨군요. 그러지요. 백제의 신녀가 무슨 죄가 있겠습니까? 오직 왕을 위해 존재하는 신녀입니다. 때론 하늘도 백성도 왕을 위해 신녀는 속여야 합니다. 그건 오직 왕을 위해서만 그리합니다. 목숨을 걸고 그리합니다."

"그래서입니다. 하나보다는 일곱이 더 낫다고 생각합니다."

"그렇습니까? 그럴지도 모르지요. 아니 그럴 수도 있습니다. 그러나 그런 법은 이제까지 없었습니다."

"이제 그런 법도 만들면 되지 않겠소."

"예. 알겠습니다."

대천관은 선선히 대답했다. 쉬웠다. 적극적으로 거절하고 안 된다고 할 줄 알았다. 그러나 대천관 신녀는 의외였다. 기분이 갑자기 좋아졌다. 계왕은 오늘 자신의 운수가 매우 좋다고 생각했다. 요즘 들어 안 된다는 말만 듣고 있었다. 그런데 이렇게 선뜻 모든 것이 이루어지다니… 기쁜 마음이 들었다.

"그렇소? 진정 알겠소? 그럼 허락한 것이오."

"예. 이를 위해 제가 한 잔 올리겠습니다. 이는 아주 오래된 법도입니다. 전임자가 왕께 하직 인사를 해야 하니까요."

대천관 신녀가 가져온 술병에서 술을 잔에 따랐다.

한 잔-

대천관 신녀가 마신다. 그리고 또 한 잔. 또 마신다. 그리고
또 한 잔 또 마신다. 그렇게 삼배(三盃)를 했다. 석 잔을 다 마
시고, 그 잔에 다시 한 잔을 따라 두 손으로 받쳐 올린다. 계왕
이 그 한 잔을 받았다. 그리고 천천히 대천관 신녀를 쳐다보았
다. 신녀의 얼굴에 다른 변화가 없다. 독은 없다. 그렇게 다시
한 잔씩 더 마셨다. 그리고 대천관 신녀는 말했다.

"이제 인사를 올리게 하겠습니다."

대천관 신녀는 사람들을 불렀다. 신궁주 진하연과 일곱 후계
자는 들어와라! 그러나 밖에서는 아무도 대답이 없었다. 바로
옆 내실에 있어야 할 사람들이었다. 아무도 오지 않았다.

"조금만 기다리십시오. 올 것입니다."

늙은 대천관 신녀 진혜가 다시 사람을 부르려고 했다. 동종
(銅鐘)이 매달려 있는 줄을 당겼다.

그 순간-

뭔가가 치밀어 오른다. 대천관 신녀는 확 치밀어 오는 것이 있었다. 이성(理性)이 상실되는 그것. 시작했다.

미혼약이다―

계왕도 마찬가지였다. 대천관 신녀에게 받아먹은 술에 독은 없었으나 강력한 최음제가 섞여 있었다. 거기에다가 계왕은 지금 신궁주 진하연과 일곱 동녀와 삼일 낮 밤을 지낼 생각을 하고 이 자리에 있었다. 더 강력한 최음제는 바로 그 생각이었다. 그리 생각하고 또 생각한 것들이, 바로 그 장면들이 생생히 살아 올라왔다. 술에 탄 미혼약이 그리 만들었다.

내가 이룬다―

대천관 신녀는 자신의 혀를 깨물었다. 그렇게 하지 않으면 늙은 몸이 탈이라도 날 상황이었다. 자신이 먼저 최음제를 마셨다. 그 미혼약이 비록 나이를 먹었어도 흥분시켰다. 그리고 이성을 잃게 했다. 몸이 붕 떴다. 그래서 그럴 때, 기분이 묘할 때 그 힘으로 혀를 깨물었다. 죽고 싶었다. 몸을 다시 버리고 싶지 않았다. 그런데 그런 대천관의 뜻과 달리 아니 어쩌면 대천관의 의도대로 계왕 설거는 최음제에 광분한 상태에서 혀를 깨물고 죽은 대천관의 몸을 더듬기 시작했다. 꼼짝도 하지 않는 대천관의 그 차가운 몸을 데우고 있었다. 범하고 또 범했다. 미친 듯이 최음제에 미쳐서 그렇게 범하고 또 범했다.

대천관은 죽었다─

아무도 없었다. 대천관 외에 다른 사람이 없었다. 계왕 설거는 도대체 이게 무슨 변괴인가 싶었다. 늙은 대천관은 옷이 갈가리 찢긴 채 죽어 있었다. 그 늙은 몸에 자신이 범한 흔적들이 남아 있었다. 기억을 더듬었다. 계왕은 그 기억을 더듬었다.

진하연이다. 진하연을 범했다. 그리고 벌벌 떨며 울고 있던 동녀들. 그 아이들을 범하고 있었다. 삼일 밤낮을 그러는 것이다. 그리해서 백제의 대천관들을 백제의 왕인 내가 갖는 것이었다. 그러면 하늘의 뜻도 바꿀 수 있다. 그래야 귀족들도, 저 대방 백제왕 설리와, 근초고 여구도 하늘의 뜻을 어쩌지 못한다. 하늘의 뜻이라 하는데… 그런데 자신이 범한 진하연도 그 일곱 동녀도 아무도 없었다. 오직 늙고 추레한 대천관 신녀 진혜가 추행을 당한 채, 혀를 깨물고 널브러져 있었다. 이 장면이 두려웠다. 계왕에게 이건 변괴였다.

거절했다-

대륙 백제왕 설리는 계왕의 제안을 거절했다. 그럴 이유가 없었다. 제 발로 사지(死地)에 들어갈 이유가 없었다.

근초고는 달랐다-

인질들이 있었다. 둘에 하나 더. 그것이 누군지 잘 모르겠지만 그래도 진하연과 유현과 나란히 걸만한 사람이었다. 여구는 그래서 한성백제 고마성으로 향하는 열수(洌水)의 포구 앞으로 함선을 몰고 왔다. 상륙함만 삼백 척이 넘었다.

인질은 무사한가-

여구의 기별에 대답이 없었다. 계왕은 대답할 수가 없었다. 인질들… 진하연과 대유현, 그리고 여섯 신녀까지 다 사라지고 없었다. 곧 천제를 지내야 하는데… 곧 백제귀족 대화백회의를 시작해야 하는데… 계왕은 난감했다.

별 방도가 없다-

근초고 여구도 어려운 상황에 빠졌다. 계왕이 인질을 꺼내 협박을 하든 뭘 하든 해야 방안을 마련할 수 있었다. 수군 상륙함에 이만 기병이 대기 중이었다. 한성백제 남부에선 마한 해안 세력까지 병합한 나주벌 근초고 군대 삼만이 곧 출병할 완벽한 준비가 되어 있었다. 바로 진격하면 늦어도 열흘 내에 한성백제에 도착할 것이었다. 한성백제는 남부군 일만과 북성에 삼만, 고마성에 오천 수비대와 수백 명의 내성을 지키는 근위대 밖에 없을 것이다.

흑천주 서위는 화살을 하나 만들었다. 청금야한성제일지독(請今夜韓城第一地獨). 그 화살에 썼다. 오늘 밤, 한성백제 가장 귀한 곳에서… 독대(獨對) 초청(招請). 단 한 번의 기회. 서위. 그렇게 써서 근초고 여구가 계왕의 제안을 기다리고 있는 막사 기둥에 날렸다. 정확하게 박혔다.

"도대체 이 화살에 쓰인 글이 무엇입니까?"
"천기령이 아닙니까?"
"그렇소. 제4 용소요. 서위가 보자고 하오. 내가 가겠소."
"함정입니다."
"그렇습니다."

"저희가 같이 가겠습니다."

여수(餘水), 여목(餘木), 여화(餘火), 여토(餘土), 여금(餘金)
등 오행장(五行長)이 다 나섰다. 그럴 수 없었다. 여토만 따르
라 했다. 그리고 일부 은자(隱者)들을 몰래 잠복하라 했다. 여
차하면 그대로 상륙할 수 있도록 함선 다섯 척도 상선으로 위
장해 열수로 오르기로 했다.

왔다―

한밤에 흑천주 서위는 칼을 닦고 있었다. 근초고 여구를 기다
리고 있었다. 흑천주 서위는 칼을 닦으면서 오랜만에 바람이 참
으로 시원하다고 느끼고 있었다. 초립을 쓴 근초고가 어느 사이
다가와 있었다. 흑천주 서위는 혼자였다.

"왔는가?"
"그렇다. 왜 오라 했는가?"
"할 말이 있었다. 아주 진작부터…"
"…?"
"너는 알 것 같았다. 너만은 알고 있을 것 같아서 꼭 물어보
고 싶었다."

"무엇이냐?"

"하늘의 뜻이란 무엇이냐?"

"하늘의 뜻? 난 그런 것을 모른다. 단지 오늘 선택한다. 이 길이 옳으냐, 그르냐? 그리고 생각한다. 하늘이 아니라… 나, 바로 내가 할 수 있는 최선의 선택을 한다. 그리고 그것이 옳으면 한다. 이루어지든 이루어지지 않던 그것은 중요하지 않다. 안 이루어지면 다시 하면 된다. 사람들이 몰라주어도 좋다. 그렇게 한다. 나는 이것을 몸이 불편한 내 식구들한테 배웠다. 안 돼도 한다. 그저 해야 하니까 한다. 거기 측은한 마음이 아닌 진심으로 같이하면 좋을 그 길을 간다. 그것뿐이다. 나는 하늘의 뜻은 잘 모른다."

"그런가. 단지 그럴 뿐인가?"

"자, 무엇이냐. 왜 나를 불렀는가?"

"나를 이기면… 나를 이겨야 가르쳐 준다. 내가 그리 말하지 않았느냐…"

그리고 바로 흑천주 서위는 칼을 뺐다. 어느 틈에 여구의 목을 노린다. 여구는 급히 피했다. 바람처럼 자연스러웠다. 흑천주 서위의 칼에서 검기(劍氣)가 쏟아져 나왔다. 여구도 칼을 뺐다. 서위는 칼집을 버렸다. 죽기를 각오하고 싸우려 한다.

"왜 이러느냐?"

"왜 너는 내게 복수하려 하지 않느냐?"

"복수?"

"내 덕분에 이리 성장하지 않았느냐? 안 그런가? 그 증오 때문 아닌가?"

근초고 여구는 현고가 떠올랐다. 우아. 어미가 기억났다. 그들을 죽인 흑천 서위였다. 그 복수심으로 힘을 길렀다. 복수심이 여구를 더 크게 했다. 인정하기는 싫지만 인정해야 했다. 이제 저자의 원(怨)도 풀어주어야 한다. 흑천주 서위는 이제 이 세상에서 한(恨)을 풀고 싶었다. 그렇게 칼을 겨누었다. 이 자가 백제의 제일자다. 백제 제일자를 죽이든 그의 손에 죽든 그러고 싶었다.

온 힘을 기울였다. 그 절대(絶對) 검기(劍氣)가 근초고 여구에게로 향했다. 원화도법이 여구에게서 쏟아져 나왔다.

울고, 웃고 있었다―

흑천 서위는 두 눈에 눈물이 흘렀으나 얼굴은 웃고 있었다. 그리고 마지막 길에 여구에게 말했다. 세 번째 인질은 우아라는

여인이다. 아직 살아 있다. 네 젖어미다. 그리고 한성백제 흑천
각 지하 무저갱을 열어라. 거기 네가 피를 흘리지 않고 이길 방
도가 있을 것이다…

그리고,

나도 너처럼 그렇게 했으면 좋았을 것을… 선택할 기회조차
없었구나. 흑천 서위는 죽어가면서 그리 말했다. 죽고 싶었다.
언제든지 죽고 싶었으나 그 기회가 없었다. 이제 너처럼 선택한
것인지 모르겠다. 그러나 웃을 수 있구나. 두 번째다. 선택해서
좋은 이 느낌. 그분을 뵙고 싶구나. 내 어미 같았던 그분. 흑천
서위는 현녀를 그리워하면서 눈을 감았다.

本 그 근본
心 마음의
本 그 근본은
太 아주 큰
陽 빛으로
昻 밝고도
明 밝음이다

人 사람
中 가운데

明 밝음이다

발 없는 말이 천 리를 간다. 말(言). 마음(心)이 입(口) 위로
선 모양이다. 그 마음은 본디 밝음에 있다. 뭐든지 밝히려 한다.
명명백백(明明白白)하게… 궁금하면 사람들은 참지 못한다. 그
래서 더욱 신비한 곳이 신궁(神宮)이다. 하늘의 뜻을 알아내는
곳. 하늘님의 뜻을 이야기해주는 곳. 그 신궁의 하수도는 그래
서 서민들의 희망이다. 대천관 신녀는 비류왕 여호기 시절 하수
도를 정비했다. 신궁의 하수(下水)는 곧 하늘의 물이다. 백성은
하나같이 그렇게 믿었다. 그래서 그 물을 받아다가 부정한 것을
막기 위해 뿌리곤 했다. 그 하수구(下水溝)를 대천관 신녀는 비

류왕 말기(末期)에 더 깨끗하게 샘물과 연결되도록 고쳤던 것이다. 맑은 물이 흐르게 했다. 그래서 백성이 더 좋아라 했다. 신궁(神宮)의 깨끗한 물이 백성 사이를 지나 개천을 따라 열수에 흐른다.

그 물-

정화수를 뜨러 신궁의 하수를 받으려 했던 백성이 보았다. 신궁 안 거기에서 탈이 난 것이 틀림없었다. 붉은 핏덩어리와 갈기갈기 찢긴 옷이 엉켜서 그 물에 떠내려갔다. 그 찢긴 옷은 대천관 신녀의 문양이 새겨져 있었다. 대천관 신녀에게 무슨 일이 생겼다. 그리고 대천관 신녀 후계자 일곱 동녀와 신궁주 진하연이 사라졌다. 그냥 사라져 버렸다. 호위 무사도, 흑천 무사들도, 군사들도 알지 못했다. 삼중(三重) 사중(四重) 겹겹이 둘러쳐진 신궁(神宮)에서 흔적도 없이 사라져 버렸다. 신궁(神宮)에 탈이 났다고 백성은 생각했다. 한성백제 고마성 인근부터 그 소문이 널리 퍼지고 있었다.

무슨 일인가-

백성의 관심이 불만이 되어가고 있었다. 대천관 신녀가 어찌

되었는가? 그러나 이 이야기는 하면 안 되었다. 특히, 몸종 신
녀들은 온종일 덜덜 떨고만 있었다. 계왕이 미쳤다. 대천관 신
녀를 겁탈하고 죽였다. 그 중 대천관 신녀의 명대로 항아리를
하수 바닥에 깨서 버린 몸종 신녀도 있었다. 시키는 대로 해야
했다. 꼭 하수구 바닥에 던져 깨버려라! 그 말을 따랐다. 그랬
더니 항아리에서는 정체 모를 피가 대천관 신녀의 옷 조각들과
함께 담겨 있다가 물에 떠 흘렀다. 그 피가 한성백제 열수를 향
해 개천에 흘렀다. 놀란 신궁 신녀는 대천관 신녀에게 그 사연
을 물어보려 했다. 그리고 보았다. 물어볼 대천관 신녀는 추행
을 당한 채 죽었고, 은밀한 곳, 화실(和室)에서 계왕이 반쯤 정
신이 나가 있었다. 신궁주와 일곱 동녀(童女)가 사라졌다. 그렇
게 이미 사라지고 없었다.

"대천관 신녀가 죽었소!"
"죽었다고 확인되지 않았습니다."
"무슨 소리요. 별의별 소리가 다 들리고 있소!"
"떠도는 소문이 그럼 사실이오?"
"무슨 소리… 그런 패륜이 있을 수가 없소!"

내신좌평 진의(眞義)를 중심으로 백제 대화백회의 귀족들이
모여 웅성거린다. 그런 일 있어서는 안 된다. 늙어 힘이 빠진

대천관 신녀를 겁탈하고 죽였다니… 그 피묻은 옷 조각들이 열수에 둥둥 떠다닌다. 신궁(神宮)에는 지금 왕의 군대가 철통같이 지키고 있다. 그 피묻은 옷 조각들이 열수에 뜬 바로 그날 밤. 계왕이 신궁(神宮)에 있었다. 그러니 그날 밤 무슨 일이 있었겠는가?

계왕은 두문불출(杜門不出)이었다-

고마성은 살벌했다. 군인들이 왕궁을 철통같이 지켰다. 백제 귀족 대 화백회의에 참가할 귀족들은 발을 동동거렸다. 고마성 밖에는 근초고 군대가 진을 치고 있다. 상륙함선만 삼백 척이 넘었다. 수군은 총 이만 명이 넘는다고 했다. 주류성에서는 북쪽으로 또 진을 치고 있었다. 한성백제 남부수비대의 두 배가 넘는 병사들이라고 했다. 그것도 일본 열도 야마다 대화전쟁에서 대승을 거둔 바로 그 무적의 경기갑병 근초고 군대라고 했다. 즉시 한성백제로 치고 올라올 태세였다.

흑천각-

근초고 여구와 은자들이 덮쳤다. 불과 삼십여 명밖에 없었다. 손쉽게 점령했다. 그 지하 무저갱 속 감옥에 갇혀 있는 한 마녀

(魔女)를 은자(隱者)들이 보았다. 그 마녀(魔女). 비류왕의 왕비 하료였다. 하료가 거기 있었다.

흑천 서위가 보았다―

지하(地下) 감옥(監獄)에서 우복이 가둬둔 하료를 보았다. 하료는 흑천 서위에게 말했다. 우복이 어디 있느냐고. 계왕 설거가 내 아들을 죽였다고. 그 아들… 걸서가 바로 설거의 친동생이라고 했다. 우복의 씨. 설거와 걸서는 이복형제고 그 아비는 우복이다. 그리 말했다. 그 얘기를 듣고 흑천 서위는 우복의 치밀함과 냉정함에 치를 떨었다. 자식들끼리 죽고 죽이게 한 사람. 분서왕의 후궁 하미를 건드려 계왕을 만들고, 다시 비류왕의 왕비 하료와 사통한 사람. 그리고 그 증거를 지하 감옥에 남겨 놓은 그 우복에게 질렸다. 그래서 이를 주기로 했다. 여구에게 주고자 했다. 그 선택. 죽은 현녀가, 그녀의 딸 대천관 신녀가 하게 했다.

흑천은 본디 혼돈이다―

어둠이며 하수구다. 사람이 어둠 없이 광명만 있다면 어찌 되는지 아느냐? 잠을 못 잔 그 사람은 살아도 산 것이 아니다. 어둠은 어미다. 어미의 궁궐은 어두우며 오직 소리만 들린다. 그 어둠 속에서 믿을 것과 믿지 않을 것을 느낀다. 자궁에서 인간은 어둠으로부터 광명의 세계로 나오려고 익는다. 큰다. 더 자란다. 그 모태 궁이 흑천이다. 어미의 마음으로 세상을 보라. 죄지은 것도 버릴 것도 다 세상이다. 다 인간이다. 인간에게 먹을 것만 중요하더냐. 배설이 없으면 인간이 한시라도 살 것 같으냐. 그 배설을 다 받아주는 것이 어미의 마음이다. 그 마음. 모태 궁처럼 모든 것을 품는 것이 흑천이다. 이것이 흑천의 비기(秘記)다. 현녀는 오래전 그 이치(理致)를 깨달았다. 그러나 고이왕이 찾는 또는 책계왕이 찾는 그 비기(秘記)는 없었다.

혼돈에서 광명이 생긴다─

그 광명과 어둠은 본디 하나다. 태양이 강하면 그림자는 짙어진다. 태양이 없으면 그림자도 어둠도 없다. 어둠이 없으면 태양도 없다. 삼광(三光)은 백(白)이요. 삼색(三色)은 흑(黑)이다. 흑백(黑白)이니 흑(黑)에서 백(白)이 나온다. 그 흑천이 어미의 마음을 잃을 때 하늘은 다시 새로운 흑천을 만든다. 흑천도 광명천도 그렇게 하늘이 만들고 사람 속에 있었다. 그런 얘기를 현녀는 했다. 이제야 깨닫는다고 흑천 서위는 죽기 전 여구에게 해주었다. 흑천의 비기(秘記) 또한 사람에게 있었다. 세상에 버려진 것은 없다. 역할이 다 있다. 인간에게서 버려진 것이 나무의 소중한 먹이가 되듯 세상에 버려진 사람은 없다. 다 자기 역할이 있다. 소중한 자기역할을 찾지 못하고 후회할 뿐. 흑천 서위는 그래도 마지막 자신의 역할이, 선택이 좋았다고 했었다. 그렇게 미소를 띠고 갔다. 여구는 흑천 서위의 한 많은 눈을 감게 해주었다.

노래다–

패륜지왕이 신궁을 범하면 새로운 백제의 절대무왕이 나온다. 새 왕이 나오면 신궁 우물물에서 노래하라. 거기서 왕비와 칠 선녀가 나올 것이니… 이 칠 선녀가 백제의 번영을 이루리라.

아이들이 삼삼오오 모여 노래를 부르고 다녔다. 한 미친 여인이 부르고… 시장(市場)의 아이들이 따라 부르는 금지(禁止) 곡(曲)이었다. 그러나 사람들은 안다. 다들 따라 부르고 있었다. 한성백제 사람들이 그러했다.

이 상황–

너무 돌발적이다. 모든 준비가 다 됐다. 그런데 인질에 대해서 철저히 함구다. 대천관 신녀처럼 계왕이 다 죽였다는 소문이 있었다. 여구는 절대 아니라고 생각했다. 죽일 리 없었다. 인질을 죽이기엔 지금 계왕의 상황이 너무 고립되고 있었다. 도망쳤다는 소리도 있다. 그러나 아니다. 도망쳤으면 벌써 연통을 해왔을 것이다. 그런데 아무도 어떤 연통도 없었다.

백제귀족 대화백회의 장소다—

고마성 인근에 천제단을 쌓고 백제귀족대화백회의(百濟貴族大和白會議)를 열기 위해 반경 오십 보짜리 거대한 군막을 쳤다. 사방 천 보 안에는 모든 무기를 금지했다. 그리고 한성백제 무사 천 명과 근초고 무사 천 명이 딱 이백 보 거리를 두고 사이에 있었다. 그 백제귀족 대화백회의 회의장 안에는 무기를 가지고 들어갈 수가 없었다.

여인이다—

귀족들과 중신들은 웅성거렸다. 백제의 패권을 놓고 계왕 설거와 근초고 여구가 다투는 형국이었다. 그런데 계왕이 한 여인을 데리고 왔다. 근초고의 어미라 했다. 근초고는 비류왕의 아들이 아니라고 했다. 그러자 귀족들은 더 웅성거렸다. 근초고 여구의 신분이 미지수였다. 모든 시선이 근초고에게 쏠렸다.

우아-

어미였다. 은구를 기른 어미. 그녀는 지금 제정신이 아니었다. 아직도 온전한 정신을 찾지 못했다. 여구는 딱 한눈에 알아봤다. 흑천 서위가 가르쳐 주었다. 그 어미였다. 그래서 정신을 더 차려야 했다. 흔들리면 안 된다. 어미를 보았다. 얼마나 그리워했던 어미인가. 그 어미를 알아보면 안 되었다. 참았다. 귀류가 자신의 어미가 인질(人質)로 잡혀 있다는 소리에도 꿈쩍하지 않았듯, 아비인 근초고 여구 또한 강건해야 했다. 그래야 어미도 살리고 자신도 이길 수 있었다. 두 손에 피가 통하지 않을 정도로 꽉- 움켜쥐었다.

"어미가 아닌가 싶소."

귀족들은 그리 봤다. 근초고가 미동조차 하지 않았다. 그때 계왕 설거가 칼을 꺼냈다. 그리고 우아의 목에 그 칼을 걸었다. 움찔했다. 여구가 움찔했다.

그 순간-

백제귀족 대화백회의 의장인 내신좌평 진의가 칼을 든 계왕에게 대화백회의에서 칼을 들어서는 안 된다고 일렀다. 그러나 계왕은 이에 전혀 개의치 않았다. 우아를 죽일 태세였다. 네 어미를 죽인다. 그 말에서 여구는 다잡고 있던 마음이 흥분하기 시작했다. 바로 그때 한 여인이 회의장으로 들어 왔다. 두 발이 쇠사슬로 묶인, 말 그대로 마녀(魔女) 같은 여인. 그 여인이 흐트러진 머리를 제쳤다. 어디서 본 듯 했다. 귀족과 중신들 모두 다 놀랬다.

실종되었던 하료다─

하료가 나타났다. 비류왕의 왕비 하료가 살아 있었다. 그 하료가 백제 귀족들과 중신들을 한 번 둘러보았다. 그리고 크게 웃고 계왕을 노려봤다.

"너, 너는…"
"알아보겠느냐? 나다. 왕비. 비류왕 왕비 하료다. 나도 이 회의에 참석할 자격이 있지 않으냐?"

천둥소리 같았다. 계왕 설거는 왕비 하료가 나타날 줄은 꿈에

도 생각을 못했다. 그 하료가 계왕 설거의 앞으로 천천히 걸어
갔다. 그러면서 말했다.

"나는 네 아비가 누구인지 안다. 너도 아느냐? 분서왕이더냐?
흑천주 우복이더냐? 너는 우복의 자식이 아니더냐?"

계왕의 아비가 우복이란 말이었다. 말릴 틈도 없이 왕비 하료
의 입에서 거침없이 쏟아져 나왔다. 그 이야기에 이어서 더 충
격적인 말도 나왔다.

"어찌 아느냐고? 내가 보았으니까. 나도 우복의 씨를 받았거
든. 그게 누군지 아느냐?"

계왕 설거는 이건 또 무슨 얘기인가 했다. 우복의 또 다른
씨? 그게 자신하고 무슨 상관이 있는가. 하료를 쳐다보았다. 하
료의 표정이 그런 계왕 설거에게 비수를 꽂는다.

"네 손으로 죽인… 내 둘째 아들 걸서… 걸서가 우복의 씨다.
걸서는 네 아우다. 너는 네 아우를 죽였다. 아비 우복도 죽였다.
우복은 얼마 전까지 살아 있었다. 너에게 한성백제의 힘을 몰아
주고 비류왕과 나를 속이기 위해서 네 아비 우복이 가짜 반란

을 일으킨 것 아닌가. 네가 그 반란을 진압시키고… 우복의 힘과 귀족들… 백성의 지지를 네가 얻지 않았는가. 그 반란수괴 우복은 죽은 것처럼 위장했다. 흑천주… 국사… 그가 우복이 아니었더냐. 그 우복을 또 누가 죽게 했느냐?"

분서왕의 아들이 아니었다. 반란을 제압한 것도 아니었다. 역적 우복의 씨. 우복과 함께 한성백제를 속였다. 흑천주가 우복이었다. 이 기만. 철저한 거짓. 그리고 아비와 아우를 죽인 패륜지왕. 하료는 천천히 다가와 계왕 설거의 코앞에 이르러 독설을 퍼부었다.

"너는 절대무왕이 아니다. 너는 패륜지왕. 아비와 아우를 죽인 패륜아다!"
"아니다, 아니야! 네 이년!"

그리고 계왕 설거는 제 성질에 못 이겨서 칼을 확— 내밀었다. 푹 찔렀다. 하료의 몸을 관통하는 칼. 그 계왕 설거의 손을 하료의 손이 꽉 부여잡는다. 그 한(恨)이 서리서리 맺힌 긴 손톱을 푹 박았다. 계왕 설거의 손이 빠져나가지 못하도록 그렇게 붙잡았다. 그리고 하료가 앞으로 손을 잡아당겼다. 계왕이 얼떨결에 당겨지니 계왕과 하료가 껴안은 형국이 된다. 하료가 계왕의 목을 물었다. 계왕이 칼을 빼려 하나 하료의 몸에 깊숙이 박힌 칼이 빼내지지 않았다.

바로 그때다―

귀족들이 저마다 눈짓을 했다. 늙은 대천관 신녀를 추행하고 죽인 패륜지왕(悖倫之王). 다들 품에서 작은 단검을 하나씩 꺼낸다. 옛 단군조선의 그들이 그랬던 것처럼 패륜지왕을 제거하기로 했다. 패륜지왕(悖倫之王)을 제거할 목적으로 귀족들은 이심전심(以心傳心)으로 단검을 품고 온다. 그 귀족들의 단검들이 패륜지왕을 찔렀다. 계왕 설거의 몸에 단검들이 박혔다.

그렇게 끝났다―

계왕이 갔다. 귀족회의는 근초고를 다음 왕으로 추대했다.

근초고대왕―

여구는 비류왕과 계왕의 뒤를 이어 백제 13대 왕이 되었다. 여구는 새로운 왕이 되기를 희망했다. 대군장의 뜻을 펴고자 했다. 대방 백제왕 설리에게 칙령을 내렸다. 대방 백제왕을 제수

했다. 일본 대화 정부에 여황(女皇)을 내렸다. 신공여황(神功女皇)을 제수했다. 그리고 대백제국을 만들고자 희망했다. 문제는 실종된 사람들이었다.

그 노래를 부르기 시작했다. 백성이 제일 먼저 신궁의 우물로 갔다. 그리고 노래를 하기 시작했다. 패륜지왕이 신궁을 범하면 새로운 백제의 절대무왕이 나온다. 새 왕이 나오면 신궁 우물물에서 노래하라. 거기서 왕비와 칠 선녀가 나올 것이니… 이 칠선녀가 백제의 번영을 이루리라.

나와라… 나와라… 새로운 왕이 나왔으니 이제 나와라-

결계가 풀린 우물에 그 노래가 울리고 우물로 두레 바가지가 내려갔다. 두레를 타고 한 아이, 동녀가 올라왔다. 신기한 일이었다. 또 두레가 내려가자 또 한 동녀가 나왔다. 그렇게 일곱 동녀가 나오고, 여덟 번째 신궁주 진하연이 나오는 것이었다. 백성은 환호했다. 그 전설이 맞았다. 패륜지왕이 죽고 새 대왕, 절대무왕이 나오면 왕비와 칠선녀가 우물에서 나온다. 백성이 노래를 부르고 부르니 정말 그렇게 되었다.

꿈은 아니다-

그러나 근초고 여구는 꿈만 같았다. 아내 진하연도 딸 대유현도 다 살아 있었다. 백성은 일곱 신녀를 칠선녀라 불렀다. 백제의 번영을 가져올 칠선녀. 그 신화 같은 이야기로 밤샐 줄 몰랐다.

대천관 신녀가 만들었다―

그녀가 만든 노래였다. 백성에게 전해 놓은 것이다. 신궁(神宮)을 출입하는 사람들에게 하나씩 둘씩 그리 전해 놓았었다. 몇 년에 걸쳐서 그렇게 해놓았다. 계왕이 들어서자 그 일은 더욱 은밀하게 이루어졌다. 그 발 없는 말이… 그 마음이 살아서 돌아다녔다. 은밀하게 그리 다니다가 신궁(神宮) 하수구에서 대천관 신녀의 옷 조각들과 핏덩어리들이 흐르자 그 노래도 대놓고 떠돌기 시작한 것이다. 백성의 마음이 움직인 것이다. 하늘의 뜻이 되어서 그리 움직인 것이다.

그 밀실과 연결된 우물―

비류왕이 백제 고마성을 탈출하기 직전부터 대천관 신녀는 비류왕과 함께 꾸몄었다. 언젠가 그날을 위해서 그렇게 신궁 내실 안에 밀실 통로를 만들었다. 한 번 열리고 닫히면 걸쇠가 내려와 절대 다시 열 수 없게 되어 있다고 대천관 신녀가 신궁주 진하연에게 귀엣말을 해주었다.

"계왕이… 그렇게 찾으려 했어요. 온 벽을 다 두들기고… 통로를 다 부실 듯 뒤졌어요. 그 소리에 얼마나 떨고 있었는지…"
"도대체 어찌 된 밀실이오? 어찌 발견될 수 없었단 말이오."
"한 번 닫히면 그 길로는 영원히 나올 수 없다고 했습니다."
"그럼, 오직 우물로 통하고 있었다, 이 말이오? 그리만 나올 수 있었다? 허 참-"

계왕이 신궁 내실 어디엔가 있을 밀실을 찾을 것이라 알고 있었다. 그래서 아예 문을 막아버렸다. 자칫 일이 틀어지면 그 안에서 다 죽을 상황이 된다. 그 죽음을 각오한 곳에서 기다려야 했다. 진하연과 일곱 아이는…

"다행히 우물에 연결되어 있었습니다."

치밀했다. 밀실 통로의 끝은 방이었다. 겨우 세 사람이 누울 만한 좁고 어두운 방. 그 방이 우물 하단 옆, 작은 구멍으로 연결되어 있었다. 그래서 그 긴 시간 동안 생명을 유지할 수 있었다.

"딱딱하게 말려진 육포와 쌀이 든 몇 개의 항아리들이 있었습니다. 제례를 지내던 것을 조금씩 모아둔 것인 듯 보였습니다. 아주 오래전 것도 있었습니다."

그것을 우물물과 함께 먹으면서, 항아리를 비워 배설하면서 그렇게 기다렸다. 불빛이 희미했다. 우물로 통한 그 구멍으로 들어오는 빛과 통로를 안내해준 야광주(夜光珠)밖에 없었던 그 속에서 대천관 신녀가 일러준 그대로 기다리고 있었다. 며칠이 지났는지 몰랐다. 빛이 제대로 들지 않아 날이 가는지 얼마나 되었는지 알 수 없었다. 그렇게 그냥 있었다. 무서우면 노래를 했다. 새 왕이 나왔어요… 이제 나와라. 그렇게 서로 조용히 조금이라도 밖으로 새어 나갈까 봐 조용히 조용히 불렀다. 그런데 밖에서 더 크게 노래가 들렸다. 누군가 많은 이들이 우물을 향해 노래를 부르고 있었다.

"노래가 들리면서… 두레박이 내려오면 그때 나오라."

그렇게 대천관 신녀가 말했다. 그 노래. 새 왕이 나오지 않으면 절대 부를 수 없는 노래였다. 그래서 나왔다. 과연 새로운 왕이었다. 그렇게 꿈에도 그리던 근초고 여구가 왕이 되어 있었다.

울었다—

대천관 신녀의 죽음에 다들 숙연해졌다. 그 처참한 모습이 한 쪽에 방치되어 있었다. 죽은 계왕이 아무에게도 치우지 못하게 했던 것이다. 그 은밀한 화실(和室)로 들어가는 문을 막아버렸다. 그것을 뜯고 대천관 신녀의 시신을 거뒀다. 그 모습에 다들 너무나 참담해했다. 계왕의 패륜은 신궁주 진하연과 일곱 동녀에게 이루어질 일이었다. 대천관 신녀가 대신했다. 한성백제 나아가 대백제의 미래를 위해 아주 오래전부터 자신을 던질 준비를 하고 있었다. 하늘의 뜻을 이루기 위해 그리도 참혹한 죽음을 감내(堪耐)해야 했다. 달게 받았다.

아가—

진하연과 대유현은 대왕의 눈물을 보았다. 우아. 반쯤 정신을 놓은 궁인(宮人) 같은 여인. 그저 아가… 했다. 여구는 여인 앞에서 울었다. 아이처럼 흐느꼈다. 여인은 그런 여구를 안아준다. 그렇게 항상 안아주었다. 현고 아비한테 혼나면 어미 우아가 어

린 은구를 안아주었다. 그 어미가 살아 있었다. 이제 다 늙어서
도, 그 홀쭉해진 얼굴로도, 그 쉰 목소리로도 우리 아가… 한다.
망아와 은구를 지금도 품고 있다. 여구는 눈물이 마르지 않았
다. 우아는 아직도 망아를 잊지 못했다. 망아 여강과 은구인 여
구를 품으며 그 기억 속에서 살고 있었다.

고하 소도다-

유현과 귀류. 딸과 아들. 아내가 모두 있었다. 진하연은 근초
고 여구의 진처(眞妻)로서 고마성의 왕비가 되었다. 왕비가의
적통을 이은 진정한 왕비의 탄생이었다. 아들 귀류는 태자가 되
었다. 딸 유현은 백제의 대천관 신녀가 되었다. 그리고 곧 일본
(日本) 백제(百濟) 대화성(大和城)에서 연희여황이 친전(親傳)
을 보내왔다. 그 친전을 따라 사람들도 함께 왔다.

우아를 보고 다들 좋아하는 그 사람들-

고하 소도 마가(馬家) 사람들이 한성백제로 옮겨왔다. 천기령
으로 가는 길에 새로운 고하 소도가 생겼다. 거기에는 마가(馬
家)의 기구기술반과 작목기술반도 이주해 올 것이었다. 초로(初
露) 또한 그리도 오고 싶어 했다. 아름다운 귀향길이었다. 노예

무사들에게 잡혀서 그렇게 죽을 고통으로 끌려갔었다. 그 길을… 험한 세상의 파도를 넘어 이제야 돌아왔다. 사람들이 진정으로 좋아했다. 다소 부족한 사람들은 우아를 보고 무척 좋아했다. 어미였다. 고하 소도의 어미가 살아 있었다. 그 어미를 위해 손을 마주 잡았다.

대천관의 뜻에 따라-

신궁(神宮)은 모두 일곱 개를 짓기로 했다. 한성백제와 대화성, 그리고 대륙백제 위례성의 거불성과 주류성, 대방 낙랑성과 앞으로 근초고대왕이 정복할 곳에 두기로 했다. 칠선녀는 각 성에서 하늘 제사를 담당하기로 했다. 그 정복할 곳의 성(城)들을 대천관 신녀는 예언해 놓고 있었다. 백제의 신궁(神宮)이 있는 곳. 제후국이었다. 대백제국의 제후국들. 왕 중의 왕. 대왕(大王)이 다스리는 큰 나라. 해상제국 대백제를 대천관 신녀도 꿈꾸고 있었던 것이다.

本 그 근본
心 마음의
本 그 근본은
太 아주 큰
陽 빛으로
昴 밝고도
明 밝음이다

人 사람
中 가운데

人 사람

345년 8월에 죽었다. 대방 백제왕을 자임했던 여설리(餘薛利)가 반란에 의해 죽었다. 셋째 아들 여무(餘武)를 후계로 삼으려고 한 것에 반발해 첫째아들 여루(餘樓)와 둘째 여현(餘玄)이 반란을 일으켰다. 여루는 대륙백제의 위례성 거불성을 차지했고, 여현은 요하 변 대방지역을 차지해 부여 백제왕을 자칭(自稱)했다.

아들이 아비를 —

대륙백제에 다시 전쟁의 피바람이 몰려오고 있었다. 근초고대왕은 초고왕을 추앙했다. 아비 비류왕이 가르쳐주었다. 아비와 아들의 뜻이 좋았다. 그것을 본받아라. 비류왕은 여구에게 초고왕처럼 그렇게 해주고 싶었다. 아들에게 모든 것을 제대로 전해주고 싶었다. 그래서 여구는 초고왕이 구수왕에게 그리했던 것처럼 귀류를 데리고 전쟁터로 갔다. 아비와 아들은 천륜(天倫)이다. 천륜(天倫)을 거스르면서 인륜(人倫)을 논(論)하는 것 자체가 어불성설(語不成說)이 된다.

패륜이다-

백제에서는 그렇게 여루(餘樓)와 여현(餘玄)을 규정했다. 아비가 아들을 믿을 수 없는 세상. 그것은 있을 수 없었다.

출정해야 한다-

일본백제 대화성에서 전갈이 왔다. 대방 백제왕 설리를 죽인 여루와 여현을 치겠다는 연희여황의 강력한 의지가 담겨 있었다. 아비를 죽인 이복형제들을 용서할 수가 없었다. 더구나 백제의 본거지인 대방, 즉 요하 변 요서 지방을 통째로 고구려나 부여로 넘기려 하고 있었다. 여루(餘樓)와 여현(餘玄)은 서로 권력을 쟁투하여 대륙백제를 두 동강 냈다.

근초고의 계획이 어긋났다-

일본백제, 한성백제, 그리고 대륙백제를 우선 안정시킨 후에 다시 일본열도를 통일시키고 반도를 통일시키며 대륙을 통일시 켜 밝달 대환국(大桓國)을 만들려 했던 그 계획이 무너지고 만 다. 우선 대륙백제를 원래대로 돌려놓아야 했다.

한성백제를 왕비 진하연에게 맡겨야 했다. 초고왕 시절의 상 좌평 제도를 다시 만들었다. 진의(眞義)가 상좌평으로 계속 백 제귀족 대화백회의 의장을 맡게 했다. 처남 진성(辰星)에게 내 신좌평을 맡겼다. 왕비가로 하여금 한성백제의 안정을 먼저 꾀 하게 했다. 근초고의 친정체제를 구축하는 것이 우선 급했다.

근초고 여구는 모용황에게 친서를 보냈다. 그 친서를 가지고 간 것은 연거리(燕去利)였다. 연거리는 모용황의 딸이자 근초고 의 후궁 모용란의 오래된 호위장이었다. 대륙백제 연씨로 선비 모용씨족에 있다가 모용란과 함께 열도 대화성에 있었다. 근초 고 여구의 후궁이 된 모용란을 대신해 연거리가 연나라 대칸 모용황에게로 향한 것이었다.

평곽성은 요하 하구의 중요한 전략적 요충지였다. 과거 근초고 여구는 이곳을 여각이라는 부여계 천호장(千戶長) 출신 도적 괴수를 꾀어 부여 유민을 모아 공격했다. 백제의 군대를 데려올 수 없었다. 현장에서 군대를 조직해야 했다. 그 숙제를 풀었던 곳이다. 그래도 당시는 외교적으로 지금보다는 나았다. 그때는 연나라 대칸 모용황이 더 급했다. 고구려와 선비족 선우부족이 연합했다. 그리고 미천왕이 대극성을 치려 했다. 연나라 모용황 대칸의 동생 모용인이 요하 하구에 있던 평곽성에서 반란을 일으켰다. 내분이었다. 고구려가 움직일 수도 있었다. 당시 태사자인 여구를 보좌하던 진하연은 고구려보다 조(趙)나라를 더 염려했다. 연(燕)나라의 서남쪽 배후였다. 연나라를 치려고 계획하는 고구려가 조(趙)나라의 왕인 석륵(石勒)을 움직일 것이라 했다. 거기에 당시 백제의 묘수가 숨어 있었다. 여구는 그렇게 주변 정세를 활용했다.

이번 대륙 행에는—

태자 귀류와 공주 대유현이 근초고와 함께했다. 자식을 위한 최상의 교육은 부모의 모습을 보여주는 것이다. 거저 영토가 되는 것이 아니다. 거저 백성이 생긴 것이 아니다. 거저 왕이 되는 것이 아니다. 하나하나 그 바닥에 있는 아픔을 겪고 생각하고 또 생각해야 한다. 그것을 가르치기 위해 근초고 여구는 백제태자 귀류와 공주 유현을 데리고 대륙으로 나섰다.

대화성은 연회여황과 나이가 많은 단복(單複)이 주길대신(住吉大臣)이 되어 대리 통치를 하고 있었다. 한성백제는 초로(草露)가 진하연을 돕고 있었다. 초로에게는 아주 특별한 임무가 부여되었다. 단복에게도 그러했다. 특히, 단복에게는 열도와 나주벌, 그리고 주류성을 연결해 상륙함과 전함(戰艦) 건조에 박차를 가하라고 했다. 대륙에서 큰 전쟁을 제대로 해야 했다. 근초고에게는 새로운 수군이 더 필요했다.

사람을 보냈다. 연(燕)나라는 대극성(大極城)에서 300리 더 들어간 내륙 쪽 조양(朝陽) 화룡성(火龍城)으로 천도했다. 조나라와 모용인의 잔당, 선우부족 등이 고구려 연합세력으로 호시탐탐 대극성을 노렸기 때문이었다. 요하 하구 평곽성은 그래서 대방백제의 성이 될 수 있었다. 모용각은 대극성 성주가 되었고, 마치 백제와 고구려 사이에서 섬처럼 떨어진 평곽성은 연(燕)나라로써는 유지하기가 어려운 상황이었다. 요서 지방 진입을 통제할 수 있는 매우 중요한 전략적 거점이었지만 수군 운영이 어려운 내륙국가 연(燕)나라가 미천왕과의 전쟁에서 승리하기 위해, 대방 백제왕 설리의 도움을 받고 백제에 넘긴 것이다. 그 평곽성 지역이 다시 중요해지고 있었다.

잘 됐다─

연나라 대칸 모용황은 오랜만에 백제의 사신(使臣) 연거리를 맞이했다. 딸 모용란의 소식도 가지고 왔다. 사위인 여구가 백제의 큰 왕이 되었다. 태사자 연거리에게 하례하며 큰 잔치를 열었다. 모용황은 다른 부족인 구려족, 우문부족, 선우부족, 단부족 사람들로 골치가 아팠다. 백제인들도 그러했다. 모용씨족과 잦은 종족 분쟁을 일으켰다. 북부 대륙에서 유목 생활만으로 풍족할 수 없는 한계 때문일 수도 있었다. 그런데 그 얼마 만에 들려온 희소식인지… 가장 예뻤던 딸 모용란이 백제 대왕의 비가 되었다. 그래서 흐뭇했다.

대칸께서 염려해주신 덕분에 열도의 우환을 없애고 한성백제를 안정케 했으나 대륙에 패륜 자들 때문에 앞날이 염려스럽고, 자칫 이 땅의 도리가 무너질까 두렵습니다. 이에 대칸과 힘을 합쳐 저 패역의 무리를 정리하고 대륙의 안녕을 도모할까 합니다.

연나라 대칸 모용황은 그 말뜻을 잘 알았다. 대역의 무리. 응징은 필수다. 반역자를 놔두면 또 반역자가 생긴다. 반역자를 응징하는 것은 모든 왕의 공통적인 생각. 패륜지왕은 반드시 죽여야 한다. 여구의 전언을 듣고 연나라 대칸 모용황은 군대를 일으켜야겠다고 마음먹었다.

그 대가는-

있어야 했다. 사사로이는 장인과 사위지만 전쟁에서 연합은 국가 대 국가다. 연나라 대칸 모용황은 그 대가를 반드시 요구할 것이다. 태사자 연거리에게 여구가 미리 말을 해놨다. 그 대가에 대해 귀류와 유현에게 과제를 주어서 보냈던 것이다.

"무엇을 주면 가장 좋아할까? 지금… 생각해보아라!"
"연나라에 무엇을 주어야 하는지를 생각해보라고 하십니까?"
"그렇다."
"사위와 장인인데…"
"병사들이 죽고 국력이 소모되는 데… 아무 보탬도 안 되는 전쟁에 참여할 것 같으냐? 말도 안 된다."
"그렇다. 귀류 말이 옳다!"
"그런데 왜 우리 어머니는 아무 이득이 없는 그 전쟁을 하려고 하지요?"

"그렇게 생각하느냐? 아무 이득이 없는 것 같으냐? 한 번 더 생각해보려무나."

태자 귀류와 유현은 큰 숙제를 받았다. 쉬이 생각이 떠오르지 않았다. 하루 말미를 얻었다. 둘은 열심히 주변 정세와 전략적인 연구를 해보기로 했다. 그런 둘을 보면서 근초고 여구는 흐뭇한 미소를 짓고 있었다. 자기가 그렇게 했었다. 여구 자신이 진하연과 대륙백제를 누비고 다녔었다. 태자 귀류가 태어났다. 그 결과였다. 성과는 컸다.

양손으로 활을 쏜다─

좌우개궁(左右開弓)이다. 이번 전쟁은 어떤 전략이든 활용할 수 있어야 한다. 최대한 모든 것을 활용해야 한다. 자신의 역량을 다 발휘하지 못하고 패한다면 가치가 없다. 2중 3중으로 효과를 보아야 한다. 이 전쟁으로 요서 대방백제의 영토를 확장할 것이다. 근초고 여구는 그런 생각을 하고 있었다. 졸본부여. 비류계의 본 고장. 아비인 비류왕이 태어난 곳. 그 요하를, 대능하를 얻을 생각이었다.

"즉위하고 일 년도 안 되어서 전쟁이다. 줄 것이 있느냐? 뭘 주고 무엇을 얻을 것이냐?"

"가장 적은 것을 주고 가장 많은 것을 얻어야 합니다."

"맞다. 그것이 무엇이냐?"

"가장 적지만 상대에게는 가장 큰 것. 소금과 철입니다."

"좋은 생각이다. 그리고?"

"잘 훈련된 말을 받아야 합니다. 활을 받아야 합니다."

"말과 활? 그래서?"

"과하마는 하루에 백 리를 전력으로 달릴 수 있습니다. 말과 말 위에서 쏘는 연나라의 신무기 소탄궁을 받아야 합니다."

"활?"

"예. 말에 올라서 쏘는 활은 그 크기가 크면 말에 걸려 무용지물이 되어버립니다. 그런데 작은 활을 만드는 기술이 지금 연나라에 있습니다. 그 활이 큰 도움이 될 것입니다."

"좋은 생각이구나. 그럼 어찌 주고 어찌 얻을 것이냐?"

"...?"

"누가 무엇을 생각한 것만이 중요한 것이 아니다. 그 생각을 어찌해서 이룰 것이냐가 더 중요하다. 또 협의해 보아라! 알겠느냐? 국가와 국가가 외교를 한다. 그것도 전쟁이다. 먼저 무엇을 줄 것인가를 생각해라! 또 무엇을 받아야 하는지를 생각해야 한다. 주고받는 것이 외교의 기본이다. 그런데 그만큼 더 중요한 것이 있다. 어떻게… 어떻게 그것을 주고받느냐 하는 것은 더 중요하다. 사람 사이에도 체면이 있듯이 국가 사이에는 그 국가의 위신을 지키며 주고받는 것. 그 명분을 찾는 것이 얼마나 중요한 일인지를 알아야 한다. 방안을 세워 보아라!"

그렇게 또 둘에게 숙제를 내 주었다. 흑천의 비기(秘記) 단군 총서가 그것을 일러주었다. 마치 인체(人體)의 장기들이 오행(五行)의 원리로 순환되는 것과 같이 외교를 사람의 신체. 내 몸의 운행같이 해야 한다고 보았다.

몸-

배가 고프면 먹을 것을 찾는다. 본다. 듣는다. 만진다. 그 먹을 것에 목숨을 건다. 외교는 그렇다. 국익(國益)을 위해 목숨을 건다. 그 목숨을 거는 것. 전쟁이다. 그래서 전쟁이 벌어진다. 국익을 위해서다. 의리(義理)가 아니다. 명분(命分)이 아니다. 아니 그것도 이(利)다. 이익이 된다. 무형(無形)의 이익이다. 의리를 지키면 나중에 의리를 지켜준다는 믿음. 내 위기 때 도와줄 것이라는 기대감. 명분 또한 그러하다. 명분을 지키면 그러한 명분 없는 위기를 내가 겪지 않을 수 있다. 명분 없는 일을 내 적이 일으키지 못하기 때문이다. 이번 전쟁이 그렇다.

패륜지왕을 벌하는 것은 패륜을 준비하는 수많은 적을 물리치는 효과가 있다. 패륜을 저지르면 주변이 다 나서서 벌하는구나. 이러한 심리를 심어주는 효과가 있다. 이것 또한 외교에서는 매우 중요한 요소다. 그리고 최대한의 효과는 그 심리적 요인과 더불어 실질적인 이득이 있을 때다. 명분이 있고 실익이 있으면 최상이다. 명분(命分)은 민심(民心)이요, 실익(實益)은 민락(民樂), 즉 백성의 즐거움이다.

"찾아보았느냐? 방법이 무엇이 있더냐?"

근초고 여구는 진하연과 그 방법을 찾는데 고민했었다. 말을 얻고 병사를 얻어 나주벌로 가야 했다. 그 계획을 짜기 위해 요서 일대를 다녔다. 그러다 여각을 만났다. 지금의 대극성 성주 모용각 장군이었다. 그를 만나 유민을 끌어 모았다. 오만의 병사를 만들었다. 그리고 말과 바꿨다. 모용황은 동생의 패륜을 혼내는 명분이었지만 실익, 즉 말과 병사를 얻는 거래였다. 지금은 모용인이 없다. 연나라 대칸 모용황이 급할 것이 없다. 백제가 더 주어야 한다. 그러나 지금 백제가 더 주면 한성백제가 어려워진다. 계왕 설거의 폭정으로 재정이 궁핍해졌기 때문이다. 고구려의 침입도 예상된다. 그러한 것들이 복합적으로 이루어져야 한다.

"연나라가 신무기를 줄 생각이 있겠느냐?"

근초고의 질문에 태자 귀류와 유현의 입이 삐죽 나온다. 쉽지 않을 것이다. 그리 쉬우면 누구나 할 수 있는 일이다. 왕이란 그런 자리다. 왕을 보좌하는 것도 마찬가지다.

"소금이 필요하다. 귀하다고 목숨보다 귀하겠느냐? 백성의 죽음보다 그 소금이 더 중요하겠느냐? 하면 무엇이냐? 철이냐? 꼭 백제에서만 그 철을 얻어야 한다고 보느냐? 아니면… 벌써 연나라가 야철터를 찾았으면 어찌할 것이냐? 외교란 그런 것이다. 이번 전쟁에서 우리가 유리하다고 절대 생각하지 마라. 백제로 보면 내전이다. 더 많이 죽이는 것이 능사가 아니다. 언제부터 백제요, 언제부터 부여인가. 유민(遺民)으로 떠돌다가 백제에서 정착하면 백제인 아닌가. 그 유민(遺民)이 곧 병사도 되고 백성도 된다. 그 처지에서 생각하라. 연나라 입장이 아닌 떠도는 유민… 요서 그 땅과 하늘, 그 사람들의 처지에서 생각을 다시 해 보아라!"

괴질(怪疾). 대륙에 오랜 전쟁 때문에 괴질(怪疾)이 곧잘 기승을 부리곤 했다. 그래서 소금은 매우 중요한 거래물품이 된다. 또한 물이 귀하여 많은 싸움의 원인이 되기도 한다. 그래서 추가로 골랐다. 약재다. 귀한 약재들. 한성백제는 신선동(神仙洞)이라 하지 않는가. 최상품의 삼(蔘)과 진귀한 약재들이 많다. 그 약재와 소금, 물을 정화하는 차(茶)다. 강한 칼과 창을 만들 수 있는 철정(鐵釘)이다. 그리고 무엇보다도 대륙백제와 연나라는 서로 유기적인 안정의 축이다. 조나라와 고구려, 선우 부족이 있는 한, 연나라가 해상무역을 포기하지 않는 한, 그 관문인 백제가 필요하다. 해상무역이다. 말은 줄 것이다. 열도와 백제에서 쓸 말은 준다. 연나라에서 직접 말을 달려올 거리가 아니기 때문이다. 그런데 소탄궁을 받으려면 실질적인 무기를 주어야 한다. 지난번, 칼을 모용각에게 주었다.

이번엔 어쩔까—

필요성은 모용황에게 있다. 곧 사신(使臣)이 당도할 것이다. 그 사신(使臣)이 누구인지는 모르나 이는 직접 들어보고 판단해야 한다.

"형님, 모용각이요."

나이를 떠나 아우를 자청하는 대극성 태수 모용각이 사신(使

臣)으로 왔다. 연거리(燕去利)의 이번 태사자 활동이 실패가 아닌 것 같았다. 모용각은 대단한 장수가 되어 있었다. 대극성이면 연나라의 중심이 아닌가. 그 중심 태수로 성장한 것이다. 모용각은 여구를 기억한다. 자신의 병사를 최소한으로 해서 당시 평곽성을 무너뜨리지 않았는가. 그 치밀한 전략과 전술, 그 무예를 기억한다. 이제 다시 그 여구와 대륙에서 연합전쟁을 하려고 한다. 그 설렘이 온몸에 가득했다. 모용각은 무장(武將)이다. 치밀한 외교선수와는 다르다. 그리고 모용각은 인생에서 근초고 여구를 만난 것이 천운이라고 생각하고 있었다. 만약 자신의 전식솔들이 대극성에 있지만 않다면 당장 근초고 여구 곁으로 달려왔을 참이다.

안다—

모용황은 근초고 여구를 안다. 기억했다. 그 거래. 단 한치도 허술하지 않았었다. 말. 오만을 달라고 했다. 말을 열도로 데려갔다. 열도에 기병을 만들어 통일국가를 만들지 않았는가. 일본 무존(日本武尊), 절대무왕(絶對武王)의 신화(神話)를 만들었다고 했다. 그 기병대로 무존이 되었다고 태사자 연거리(燕去利)가 말했다. 딸 모용란의 서찰에도 그리 쓰여 있었다. 자신이 본 여구. 그 사람이 맞았다. 바로 보았다. 그래서 모용각을 보냈다.

모용각은 무인이다. 교묘한 외교술을 모른다. 그래서 오히려 허심탄회(虛心坦懷)하게 마음을 열 수 있다. 모용각과 술 대작을 했다.

"지금 가장 필요한 것? 백제에서 필요한 게 아니라… 우리 연나라에서 가장 필요한 것이라? 뭐니 뭐니 해도 약재입니다. 괴질이 돌아서 죽겠소. 우리 대극성도 그래요. 그리고 아시다시피 대륙 북부에 가장 필요한 것은 소금 아니요. 괴질까지 도는데다 소금이 귀하다 못해 금값이오."

"괴질의 이유는 무엇인가?"

"그 이유를 알면 이러겠소? 하긴 알고도 못 고치는 것이 있지요."

"그 괴질을 잡도록 백제 약 박사를 보내면 되겠나?"

"그래 줄 수 있소?"

"그러면 약재하고 약 박사를 보내라고 하겠다."

"고맙소. 역시 대왕형님이오."

"소금은… 백제 소금의 교역장을 대극성에 열도록 해라."

"저… 정말이오? 교역장을 대극성에 열겠소?"

"그리하고… 또…"

또 뭔가? 뭘 받기는 해야 하는데 근초고 여구는 주기만 한다.

태자 귀류와 유현은 황당했다. 아비의 일이라 끼지는 못하고 모용각이라는 장수 사신에게 그냥 퍼 주기만 한다.

"지난번 그 칼은 어땠나?"

"죽여줬지요. 우리 군대는 칼 때문에 연나라 최고 군대요. 그 칼 더 줄 수 없소? 부족해. 그리고 그 칼을… 철정을 녹여서 다시 만들려고 해도 안 되던데, 그러니 이번에 대칸께 말씀드려서… 그 칼을 좀 더 작고 약간 휘게 반월도로 만들어서 주면 안 되겠소? 그러면 우리 애들이 기가 막히게 쓸 텐데요…"

"왜 반월도로 만들어야 하느냐?"

"말을 타잖소. 칼이 크면 좌, 우로 휘두르는 것이 쪼끔 힘들어서…"

말하던 모용각의 우직하고 담백한 성격에 태자 귀류와 유현이 킥킥거린다. 그런 두 아이를 보고 모용각이 한쪽 눈을 슬쩍 감는다. 친근함의 표시였다.

"태자님! 안 그러오? 그래서 우린 활도 요만하게 만드는데…"

활? 나왔다. 소탄궁. 소탄궁의 이야기가 나왔다. 이제 시작이다. 그 거래의 시작이 이렇게 시작되는 것이다.

"그 활을 보고 반월도와 현재의 열도 검을 섞어, 연나라 기마병이 잘 쓸 수 있게 하여 만들어 주면 되지 않겠는가?"

"그럼 좋지요!"

"그 활과 모용씨족의 무기들을 가져오라. 새롭게 만들어 주겠다. 말 위에서 마음대로 사용하게 그렇게 만들어 주겠다. 그 부재료들도 가져오라. 그렇게 해주겠다. 기존의 무기를 만드는 장인들을 셋씩 보내라. 아니 열씩 보내도록 해라. 다 가르쳐서 보내겠다."

모용각이 감읍(感泣)해 한다. 그때에서야 태자 귀류와 유현은 깨닫는다. 다 얻었다. 신기술. 연나라 대칸이 주지 않을 것 같은 그 모용황 부대의 신무기 비밀까지 그렇게 얻고 있었다. 그런데도 아직 백제가 요구한 것은 없다. 단지 받아 주고만 있었다. 상대방 것의 핵심을 받았는데도 아직 주고만 있었던 것이다. 이것이 외교다. 주는 것. 주는데 얻고 있다. 상대는 고마워하고 우리는 실익이 많아진다. 그리고 아직도 여유가 있다. 고마움은 시간을 단축한다. 더 줄 것을 찾고 있었다. 근초고대왕 여구는…

또 준다―

고민을 들어준다. 둘은 술을 한 잔 더 하기로 했다. 사신이다. 아무리 의제(義弟)라 해도 사신이었다. 연나라 대칸 모용황은 타 부족인 구려족, 우문부족, 선우부족, 단부족 사람들로 골치가 아팠다. 백제인들도 골치다. 잦은 분쟁을 일으켰다. 북부대륙에서 유목 생활에 익숙한 특성이 강했다. 정착을 잘하는 백제인들도 유목민족 모용씨족과 말썽이 많았다. 먹을거리가 풍족하지 않은 탓도 있었다. 그런 얘기를 듣던 근초고 여구는 무릎을 탁 쳤다. 하도 세게 쳐서 모용각도 태자 귀류도 유현도 놀랐다. 그리고 흥에 겨워서 말했다.

"그러면 이번에는 백제인들을 받아야겠다."

그 골칫거리들을 받아주겠다. 그리고 대칸 모용황에게 전하도록 편지를 쓰기로 했다. 이제 됐다.

주고받으면 된다—

일 처리는 매우 빨랐다. 우선 모용각이 먼저 움직였다. 소탄궁 제작 기술자와 칼 제련 기술자들을 한성백제 기구기술반으로 파견시켰다. 재료도 함께 가져갔다. 이를 정례화하기로 했다. 소탄궁의 기술은 연나라 최고의 신무기 기술이었다. 거기에 한성백제의 각궁(角弓) 기술이 더해지면 지상 최고의 활이 태어날 것이었다. 여구의 복안은 강력한 소탄궁(小彈弓)의 기술을 대궁(大弓)에 접합시켜 세상에서 제일 강한 활을 만드는 것이다. 소탄궁(小彈弓)은 활도 작았지만, 화살도 작고 얇았다. 그런데 사거리는 길었다. 거기 비밀이 있었다. 그 신기술을 다 받으라 했다. 전부…

本 그 근본
心 마음의
本 그 근본은
太 아주 큰
陽 빛으로
昻 밝고도
明 밝음이다

人 사람
中 가운데

中 가운데

벌써 30년이 넘었다. 옛 단군조선의 선인들은 산삼이 잘 자라는 곳을 찾곤 했다. 그 삼(蔘). 바로 한(韓) 반도가 신선(神仙)들이 사는 곳이라 일컬어지는 이유이기도 했다. 그 삼(蔘)을 여구는 초로(草露)에게 만들라 했다. 대량으로 생산하라고 했다. 그것이 삼십 년 전, 초로가 어린 여구와 산삼을 캐면서 한 약속이었다. 약 박사인 초로에게 산삼 하나 대량으로 생산하지 못하냐고 타박했었다. 그 어린 여구의 말에 초로가 결심했다. 언젠가 그리 해주겠다고 약속했었다.

삼(蔘)을-

대량 생산하라니… 우선 삼(蔘)이 잘 자라는 곳을 찾아 표식을 남기라고 했다. 참나무, 굴참나무와 같이 활엽수가 많은 곳에서 산삼(山蔘)이 잘 자랐다. 질 좋은 산삼(山蔘)은 피나무, 박달나무 아래에서 나왔다. 나무와 산삼의 관계가 깊었다. 활엽수의 낙엽은 많은 영양분을 함유하고 있다. 그래서 그 아래 토양이 비교적 비옥하고 부드러웠다. 그렇게 만들면 될 것 같았다. 산삼이 잘 자라게 하는 곳을 만들 수도 있을 것 같았다.

기후가 추운 곳이나 바람이 많은 곳-

모용씨족이 사는 곳에서는 산삼(山蔘)이 나기 어렵다. 대륙의 풍토는 한(韓) 반도의 토양과 기후가 달랐다. 한성백제의 최고 특산물이 될 수 있었다.

초로(草露)는 나침반과 구척을 들고 다녔었다. 구척을 살피면 동쪽과 북쪽 45도 방향에 많았다. 산 전체 경사가 원만하고 골짜기 경사도 원만하면서 골짜기가 아주 많고 깊어야 한다. 골짜기 안에 들어갔을 때 바람이 잘 통하고 아주 시원한 느낌이 들어야 한다. 무더운 여름 날씨에도 등에 난 땀이 식을 정도로 시

원한 느낌. 활엽수, 즉 참나무 등이나 침엽수인 소나무와 낙엽
송들이 셋에 둘 비율로 섞여 우거진 산에 많았다. 흙은 손으로
집어 뭉칠 때 잘 뭉쳐지고 털면 바로 털어지는, 습하지도 건조
하지도 않은 흙이었다. 산삼(山蔘)은 대부분 골짜기 양쪽 경사
진 부분 또는 계곡의 끝 부분에 있다. 전체 산의 상단부 쪽에
가장 많이 있다. 아주 큰 참나무, 소나무 아래, 고목이 쓰러진
밑이나 다래 덩굴 밑 산, 고사리 밀집지 주위에 많다. 진종(眞
宗), 즉 천종(天宗) 산삼은 심산유곡(深山幽谷)에 있지만, 일부
심마니들은 야생 삼을 키우기도 한다. 그것이 산양삼이었다.

"한성백제의 특산물로 배양해야 합니다."

"이걸 구하기가 얼마나 어려운데…"

"그러니까. 키워야 한다니까요?"

"키워?"

"예. 키워요! 아주 많이… 무처럼, 배추처럼…"

어렸을 적 은구도, 청년기 여구도, 열도에서도, 나주벌에서도,
주류성에서도 초로는 산삼을 대량으로 키울 방법을 여구에게서
수시로 종용당했다. 그것도 제대로 못 하느냐고 핀잔도 많이 들
었다. 그래서 해냈다. 30년 넘어서 이루어냈다. 그것이 지금 자
라고 있다. 주류산성에서 나주벌 금성 주변에서, 그리고 이제

한성백제 열수 이남에서 다량으로 생산할 참이었다.

삼(蔘)의 번식경로를 참고해야 했다. 비둘기나 꿩 등이 씨를 먹고 산으로 날아가 배설한다. 산속에서 각종 조류에 의해 번식한다. 다람쥐 등 육지동물에 의해서도 번식할 수 있다.

대신 내가 하면 안 되나?

그래서 그리했다. 삼(蔘)의 씨를 받아 이리저리 뿌려봤다. 잘 자랄 곳에 많이 뿌려 놨다. 산하나 전체에 산삼(山蔘) 씨를 뿌리기도 했다. 역시 잘 자라는 곳이 따로 있었다. 그렇게 근초고 군대가 있으면 산삼(山蔘) 씨를 뿌렸다. 열도 대륙에서도 잘 자라지 않는 그 질 좋은 삼(蔘)은 역시 한(韓) 반도의 마한(馬韓) 지역에서 특히 잘 자랐다. 초로(草露)는 기발한 생각을 실천했다.

밭에다 심지 뭐–

그래서 밭에 산의 조건을 맞추었다. 산삼이 자라던 그 조건. 그 나무도 심고… 토양을 찾았다. 주류성 일대에서도, 금성 일원에서도, 옛 단군조선의 선인(仙人)을 동원해서 삼밭을 할 땅을 찾았다. 한성백제 바로 아래와 주류성이 있는 산맥의 줄기를 따라가면 그 생산이 가능한 밭을 만들 수 있었다.

됐다-

그렇게 했다. 대해부는 생전에 그래서 초로를 좋아했었다. 나주벌에 갔다 오면 진귀한 천종산삼이 가득했다. 귀한 산삼이 열도 소국의 여왕들에게 진상되었다. 태자 걸걸은 산삼으로 늘 보양했다. 그러지 않으면 그 여왕들을 다 감당할 수가 없었다. 초로의 산삼은 어린 은구의 뜻과 청년 여구, 이제 근초고의 뜻이 합치되어 커나갈 것이다.

모용황의 눈이 확 커졌다-

산삼이다. 천종산삼을 비롯해 6년근 재배 삼(蔘)까지 모용각이 가져온 것이 두 수레는 되었다. 그것을 보고 연나라 대칸 모용황은 황홀했다. 신선들이나 먹는다는 산삼(山蔘). 진시황이 그리 먹고 싶어 했다는 그 산삼이 두 수레였다.

감동했다-

산삼(山蔘)은 특히 약효가 좋았다. 기력이 쇠해 곧 죽을 사람도 살린다. 특히, 유지방류(乳脂肪類)를 많이 먹는 대륙 유목부족에게는 기사회생(起死回生)의 명약 중의 명약이었다. 괴질 치료에 도움이 될 것이었다. 각 씨족장들에게 내릴 하사품으로도 최고였다.

선물—

가장 필요한 것이 가장 귀한 것이다. 괴질과 건강에 대한 두려움이 많은 대칸 모용황이었다. 그 선물은 앞으로 더 줄 수도 있고, 아예 주요 교역 물품으로 삼을 수도 있다고 했다. 무조건 그러마 했다. 그리고 괴질을 잡는데 탁월한 약재가 있다고 했다. 약 박사가 더러운 물 탓으로 생기는 풍토병이라고 했다. 설사병과 피부병이 큰 문제였다. 염성(鹽性) 부족. 공해(公害) 독(毒)의 여러 가지 피해(被害)로 오는 조직의 변질, 부패가 피부병을 일으킨다. 인체의 모든 질병에 예방 치료 효과가 있다. 갖가지 해독 작용의 힘이 뛰어난 신비의 약 소금이었다. 모든 생물이 부패하지 않는 이유는 염성(鹽性)의 힘 때문이다. 신체(身體) 내(內)의 수분(水分)에 염성이 부족하게 되면, 수분이 염(炎)으로 변하여 각종 염증(炎症)이 오래되면 이것이 다시 각종 죽음의 사유가 된다고 했다. 소금의 농도가 적은 생물은 대부분 허약하고 질병이 잦으며, 염성(鹽性)이 강한 경우 보편적으로 무병장수(無病長壽)하게 된다. 그 소금. 신비한 소금을 당장 수입품으로 하라고 했다.

짜지도 않고 피부병도 낫게 한다—

토사 병에도 탁월했다. 대나무에 담아 불가마에서 구워 생산한다는 죽염(竹鹽)을 먹고서 대칸 모용황은 오래된 위병을 고쳤다. 사타구니의 습진도 나아졌다. 죽염을 바르고 먹었다. 그러니 나아졌다. 거기에 산삼을 먹으니 갑자기 기력이 동(動)해져서 처녀 장가를 갈 수 있을 정도로 좋아졌다.

그렇게 전쟁을 준비했다—

연나라와 철제 명도전(明刀錢)에 이어 반월전(半月錢)을 만들고 화살촉과 반월 모양의 작고 강한 칼을 교역하기로 했다. 그리고 달라고 했다.

백제인 오만—

그 사람들을 주십시오. 골치가 아픈 백제인들. 그 노예들을 달라고 했다. 다른 노예들도 있으면 달라고 했다. 대칸 모용황이 그리하마 했다. 대신 연나라 괴질을 잡으라 했다. 그 괴질은 소금과 물이 주범이었다. 한성백제와의 교역이 끊어지면서 연나라에 소금 수입이 줄 수밖에 없었다. 소금이 귀해지자 소금 섭취량이 줄어든 것이다. 거기에 가뜩 물이 귀한데다가 가뭄에 부패까지 한 것이다. 먹을 물. 제대로 된 먹을 물이 있어야 한다. 이것을 위해 멀리 대륙의 남쪽에서 생산되는 차(茶)를 가져다가 주었다. 그 차(茶)는 물의 독을 걸러준다. 대칸 모용황이 차(茶) 맛에 푹 빠졌다.

말과 사람−

그렇게 연나라와 백제는 무역품이 많이 늘었다. 곡물과 건어물도 넣었다. 연나라는 그런 백제에 해주는 것이 별로 없었다. 그래서 대군을 일으키기로 했다.

"역시 아바마마이십니다."
"뭐가 말이냐?"
"받은 것이 너무 큽니다."
"그리 생각하느냐?"
"아닙니까?"

"아니다."

"예?"

"유현이 너는 어찌 생각하느냐?"

"잘 모르겠습니다."

"새로운 것은 그런 것이다. 필요한 것은 역시 그런 것이다. 귀한 것이다. 여기 열 자짜리 줄이 있다. 그 줄이 필요한 사람 셋이 있다. 먼저 빨래를 널 사람이다. 둘째 사람은 금덩이를 묶을 사람이다. 셋째는 늪에 빠진 사람이다. 그 줄을 누구한테 팔겠느냐? 누가 가장 비싼 값을 쳐주겠느냐?"

"그야 당연히…"

"그 당연한 생각을 먼저 해야 한다. 당연한 것. 그것이 교역하는 사람이 가져야 하는 자세의 시작이다."

"알겠습니다."

"그런 것이다. 무엇이냐도 중요하지만 어떤 필요가 있느냐가 더 중요할 수 있다."

"그래도… 아무리 값이 귀해도 사람을 구하는 데 써야지요."

"그렇지, 알았구나! 이 세상에서 가장 귀한 것이 무엇인지…"

"그것이 나라를 이루는 것이고, 일을 만드는 것이고, 세상을 얻게 하는 것입니다."

"그렇다. 그런 것이다. 사람이란 그런 것이다."

아비 비류왕 여호기는 근초고 여구에게 사람을 얻게 했다. 그 사람을 얻는 행위를 전쟁에서도 한다. 사람을 얻는 것. 그것이 나라를 키우는 방법이다.

전쟁이라는 것은-

이기는 것보다 이기기 전과 이긴 후에, 잃고 얻는 것에 철저해야 했다. 그래야 전쟁이 의미가 있다. 수많은 살생(殺生)을 하게 된다. 단순히 감정놀음이 아니다. 냉정한 선택이어야 한다. 그것이 근초고의 전쟁이다. 사람을 얻고 땅과 하늘을 얻는 것. 아니면 차라리 굴욕을 택하는 것이 낫다. 그런 것이 훨씬 더 실리적이다.

신무기 소탄궁-

그 무기는 본디 대동이족(大東夷族)의 특징이다. 단궁(檀弓). 박달나무 단(檀)은 바로 단군(檀君)이다. 활을 만드는 나무에 박달나무는 쓰이지 않는다. 조직이 너무 단단하여 활을 만드는 데 부적합한 것이다. 그런데 왜 단궁(檀弓)이란 말이 쓰였을까.

"박달나무로 활을 만들지 않는 데 단궁이란 말이 있다는 것은…"

"단군의 무기였을 테니까. 그랬지."

"그렇다. 유현이 말이 맞구나. 단군조선의 핵심 무기가 바로 각궁이고 그 각궁을 단궁이라고도 했다. 신무기였다. 오십 보를 겨우 쏘던 나무 활, 목궁 시대에 각궁은 무려 이백 보를 날아갔다."

오십 보와 이백 보. 그 차이는 전쟁에서 승패를 좌우했다. 그 옛날 단군조선은 각궁으로 대륙의 동서남북을 다 장악했었다. 단궁의 핵심은 나무와 무소뿔과 소 힘줄 등이 다 활용된 복합 궁이라는 점이다. 만드는 기간이 매우 길었다. 좋은 활을 만들려면 5년 이상이 걸리기도 했다. 그래서 활을 만드는 기술은 대동이족 국가에서는 곧 최고 기밀에 속했다. 크기와 탄력, 그리고 화살의 강도와 두께, 깃털의 종류 등에 따라서 날아가는 거리와 속도, 관통력, 즉 살상력에서 많은 차이가 났다. 무소의 뿔. 물소. 저 남만과 무역을 통해서 가져올 수 있었다. 대륙 저 남쪽 지방에서 가져온 재료까지도 활을 만드는 데 활용했다. 그만큼 활은 중요한 신무기였다.

새로운 활을 만들어야 한다―

전쟁에서 활은 점점 더 중요해진다. 더 중요해질 것이다. 그래서 첫째, 소지하기가 편해야 한다. 들고 다니기 쉬워야 하고 다루기도 쉬워야 한다. 둘째, 멀리 나가야 한다. 작으면서도 그 탄력이 뛰어나야 좋은 활이다. 셋째는 쉽게 만들 수 있어야 한다. 활을 만드는 데 5년이나 걸리면 군수조달에 문제가 있는 것이다. 이러한 활 무기를 단복(單複)과 기구기술반에 만들라 했다. 백제에 있는 전 박사들에게 그에 대한 좋은 생각을 모으라 했다. 그런데 모용씨족이 그 단서를 주었다. 다량의 활을 받기로 했다. 소탄궁(小彈弓)은 예맥(濊貊) 각궁(角弓)의 한 변형이었다.

예맥 각궁-

연나라 대칸 모용황은 고구려와 상대하기 위해 고구려의 최강 무기인 예맥(濊貊) 각궁(角弓)을 능가하는 활이 필요했던 것이다. 긴 세월, 개선을 위해 노력했다. 그 성과품이 고스란히 한성백제로 향해 간 것이다. 그것을 유현이 꿰뚫고 있었다.

"이제 우리도 고구려 기마병을 능가하는 기마대를 구성할 수 있겠어요."

"그렇다. 이번 거래에서 가장 큰 성과 중 하나는 바로 그것이다."

소서노 모태후가 절대무왕의 전설에 담아 전해준 교훈이 바로 그것이었다. 새로운 무기. 어제의 무기를 능가하는 오늘의 새로운 무기를 항상 고민하고 만들어야 한다. 동명성왕검을 부러뜨리는 새로운 동명성왕검은 그런 의미를 담고 있었다. 옛것에 집착하지 마라. 새로운 것을 만들어 새롭게 이루어라. 그 교훈을 받아들이는 사람이 바로 절대무왕의 길에 서는 것이다. 그러기 위해서는 열어야 했다.

연다—

백제를 열어 세계 만물이 백제에 들어오게 하리라. 그리고 거기서 새로운 것들을 만들어내고, 그 새로움을 가지고 다시 세계에 나아가리라. 거기에 백제인의 번영이 있을 것이다. 말없이 소탄궁을 쳐다보고 있는 근초고 여구를 보며 아들 귀류의 머릿속이 맑아지고 있었다.

모용황과 더불어 모용각이 대방 부여국 여현을 치기 위해 군을 편재하기 시작했다. 백제군은 상륙 기병으로 이만에, 배 오백여 척을 기본으로 하기로 했다. 모용황은 모용각에게 삼만의 병사를 일으키게 했다. 자신은 오만의 병사를 데리고 참전할 것이었다. 대방 부여국 기병은 최소한 삼만 명이다. 고구려가 지원한다면 약 일에서 이만, 총 오만은 된다. 보병은 칠만… 들판에서 전투해야 한다. 아니면 불리해진다. 공성(攻城) 전투(戰鬪)는 공격진이 서너 배는 되어야 한다. 기병은 삼만 대 사, 오만. 고구려가 개입하면 오만 대 오만이 된다. 보병은 칠만 대 오만. 다만 수군은 오백여 척 대 낡은 배 백여 척. 압도적인 것은 수군밖에 없었다.

가우리를 묶어야 한다−

고구려 연합이 준동하기에는 시기가 좋지 않았다. 괴질은 모용씨족만의 문제가 아니었다. 연나라는 백제 덕분에 괴질이 퍼지는 것을 막고 있었지만 선우부족이나 단부족, 고구려 맥족 등은 달랐다. 고구려만 조금 형편이 나았다. 고국원왕은 그래도 대방 부여국 여현을 보호하는 것이 낫다고 생각해서 몰래 이만의 기병 부대를 지원했다. 여현은 십만 정병이 있었지만 그중 사, 오만은 일반 농민 병사였다. 특히, 수군이 강점인 대방백제의 특성을 잃어버렸다. 대륙백제의 산둥 위례성과 한성백제와의 교류가 막힌 지금은 배가 낡아 수군을 편재하기가 쉽지 않았다. 그것이 약점이었다. 대방 부여국의 주력은 한성백제가 공격할 것이 뻔한 평곽성 인근에 집결하고 있었다. 배가 요하를 거슬러 올라가려면 평곽성 옆을 반드시 지나야 한다는 점을 노렸다.

확실한 응징과 보복—

그것이 필요했다. 앞으로 십 년 이상 아니 이십 년을 생각한 전쟁을 해야 했다. 척후병을 계속 보냈다. 평곽성 내에 첩자들을 넣었다. 대방 부여국이 본디 졸본부여를 기반으로 하고 있었기에 첩자가 잡힐 염려는 없었다. 유민들이 많았다. 청야(淸野) 입성(入城) 전략이 시행될 것이다. 성곽 문을 잠그면 삼면이 바다요 오직 동북쪽 길만 열리는 평곽성. 그 요지의 성에서는 요하를 건너려는 백제 상륙함을 노릴 것이 분명했다. 들판을 다 청소하면 보급을 얻을 수 없는 백제군은 바다 위에서 굶어 죽거나 아니면 퇴각할 것이다. 그렇게 근초고 여구는 대방 부여국 여현의 입장에서 전략을 짜고 있었다.

만약 상륙한다면—

고구려의 기마대가 움직일 것이다. 기마대는 요하 하류 서쪽과 동쪽 어느 곳에 포진하고 있을까? 그것이 관건이다. 상륙하면 그때 평곽성도 성문을 열고 다 덤빌 것이다. 그 중간에 백제군이 있어야 한다.

"그러면 백제군은 거의 몰살 당할 것입니다."

"그러냐? 그러나 만약 모용황과 모용각이 이렇게 대극성에서 쳐들어오고… 대방 부여국의 서쪽이 흔들린다면… 고구려군은 평곽성 후면이 더 안전하다고 보고 거기서 기다릴 것이다. 그리고 모용황 부대와 백제군이 연합해서 성을 공격하면 그때 움직이겠지…"

"시간을 끌겠군요."

"맞다. 시간이다. 시간은 저들의 편이다. 이미 추수한 곡물은 창고에 쌓여 있고… 한겨울이 깊어지면 요하 하류의 만(灣)이, 바다가 언다. 백제군은 퇴각할 수밖에 없다."

참 어려운 전쟁이다―

모용황과 모용각이 팔만의 정예 기병을 동원한다고 해도 저 평곽성은 굳게 닫혀 있을 것이다. 인근 땅은 모용황의 영지가 될 공산이 컸다. 저 평곽성이 문제였다. 평곽성 바로 앞에서 고구려 기마대가 유리한 고지를 차지하고 있었다. 근초고 여구는 그런 생각이 들었다.

"이제 온 힘을 다해야 한다. 평곽성 하나가 아니다. 이번에 공격하는 것은 대륙의 북부를 공격하는 것이다."

여수(餘水), 여목(餘木), 여화(餘火), 여토(餘土), 여금(餘金) 등 오행장(五行長) 군장들은 여구의 말에 긴장감을 더하고 있었다.

이십 년을 보는―

전쟁이어야 한다. 다시는 전쟁을 할 생각이 없어야 한다. 다시는 도전할 마음조차 갖지 못하게 해야 평곽성도 얻고 대방 부여국, 즉 백제 대방 땅도 찾을 수 있다. 무리해야 했다. 일본 열도의 대화성과 한성백제 고마성으로 여구의 연락선들이 급히 갔다.

전략은 이랬다―

대방 부여국 여현은 생각했다. 고구려 지원군과 정예군을 평곽성 뒤에 숨도록 했다. 그리고 대극성을 출발한 모용황의 동생 모용각을 맞이해 대능하 상류의 산성에서도 적을 맞을 준비를 하게 했다. 또 모용황의 군대가 서쪽에서 진격하면 아예 다 주라고도 했다. 들판을 버리고 각 산성으로 들어가 장기전을 치르라 했다. 그러면 모용황의 군대는 요서에서 각 산성을 치려고 분산될 것이다. 후방 보급로를 그때 끊으면 될 것이다. 평곽성문을 꽉 닫으면 보급의 한계 때문에 지칠 것이다. 곧 겨울이다. 그 겨울에 요하 하구에서 모용황도 잡고 근초고 백제왕도 죽일 수 있을 것이다. 여현은 이리 생각하고 있었다. 고구려 연합군도 그렇게 전략을 짜고 준비하고 있었다.

대능하-

요하 강변에는 성(城)들이 있다. 나성(羅城)이다. 높은 성이 아니다. 강 옆에 있는 성들은 겨우 도적떼나 막을 수준이다. 그 나성을 연결하는 연결점. 전략적 요충지에 산성(山城)이 있다. 그 산성에 대방 부여국의 정예병들이 있다. 기마대가 주력인 모용황의 부대는 나성을 공격하기에도 쉽지 않다. 성(城)은 기마대의 공격을 막는 효과가 있다. 그렇게 막히는 모용황 부대가 속도전의 힘을 얻지 못하면, 힘이 빠지면, 산성에 있던 대방 부여군이 움직일 것이다. 나성이 쉽게 뚫리면 산성에서 막는다. 보급은 산성에 있다. 나성을 아무리 얻어 보아야 보급 지원은 안 된다. 대방 부여국 여현이 그렇게 생각하고 움직이고 있었다.

열도에서 함선 삼백 척이 추가로 왔다. 연회여황이 직접 인솔해 왔다. 보급선 일백 척과 기병 일만 오천을 태운 상륙함이 이백 척이었다. 한성백제에서 이백 척의 지원군이 도착했다. 기병 일만 오천을 태운 상륙함이었다. 나주벌에서도 이백 척이 왔다. 백 척의 보급선과 특수전투선 백 척이었다. 수군은 우위이나 기병과 보병에서 확실한 우세라고는 볼 수 없었기에 이를 보충하기로 했었다.

문제는 관문착적(關門捉賊)이었다. 적을 몰되 달아날 구멍은 남겨두라. 궁지에 몰린 쥐는 고양이에게 덤빈다. 반면 적을 완벽하게 포위하여 일거에 섬멸해야 할 때도 있다. 이는 적이 힘을 되찾을 기회를 주지 않는 것이다. 일시에 소탕해야 한다. 약자라 할지라도 몸과 마음을 완전히 굴복시키지 않으면 언젠가는 기습당하게 된다. 문을 걸어 닫고 적을 완전히 잡아버리는 것. 이는 이길 수 있을 때 완벽하게 이겨야 함을 의미한다. 이번에 겨우 살게 해주어야 한다.

공포-

그 공포를 심어줄 것이다. 근초고 여구는 비장한 눈으로 평곽성을 노려보았다. 평곽성과 그 인근에는 지금 대방 부여국과 고구려 지원군이 합하여 오만 가까이 있었다.